FFÊC T

Ffêc Tan, Rissole a Tships

Caryl Lewis

Gomer

Argraffwyd yn 2006 gan Wasg Gomer,
Llandysul, Ceredigion SA44 4JL
www.gomer.co.uk

ISBN 1 84323 686 9
ISBN-13 9781843236863

Dymuna'r cyhoeddwyr gydnabod cymorth
Adrannau Cyngor Llyfrau Cymru.

Argraffwyd a rhwymwyd yng Nghymru gan
Wasg Gomer, Llandysul, Ceredigion SA44 4JL

Pennod 1

'Awwwww!'

'Shhhhhhh!'

'Wel paid â damsgen ar 'y nhraed i 'te!'

'Sori! Ond alla i ddim gweld dim byd!'

'Wel tro'r gole 'mlan 'te!'

'Ti'n gwbod allwn ni ddim â gwneud 'ny, neu fe fydd rhywun yn siŵr o ffonio'r heddlu.'

'Trueni na fase rhywun yn ffonio'r cartref meddwl! Dyna ble ddylen i fod am gytuno i ddod gyda ti! Ti'n gwbod mai *breaking and entering* yw hyn yn dwyt ti?'

'Nage! Ma Cara'n chwaer i fi.'

'Wel pam na allet ti fod wedi gofyn iddi hi 'te?'

'A gadael iddi feddwl mod i eisiau ei help hi? Na, sai'n credu.'

Rowliodd Gloria ei llygaid gan geisio peidio â chwympo'n ôl lawr y stâr yn y tywyllwch.

'Paid â becso nawr,' ailgychwynnodd Mari. 'Fyddwn ni mewn a mas cyn i neb sylwi . . . Aros funud, hon yw'r allwedd fi'n credu.'

Plygodd Mari i droi'r allwedd yn y clo gan wthio'i phen-ôl i mewn i wyneb Gloria a oedd yn sefyll y tu ôl iddi, ris neu ddwy yn is.

'Watsia hi, 'nei di!'

Cliciodd y drws ar agor a throdd Mari 'nôl i edrych ar Gloria gan wenu'n llydan.

'Wel dere 'mlan 'te, paid jest sefyll fanna!'

'Sori! Ond ro'dd yr olygfa mor dda, 'na i gyd,' meddai Gloria'n goeglyd.

Cripiodd y ddwy i mewn i'r ystafell dywyll. Roedd golau'r lleuad yn treiddio i mewn drwy'r ffenest gan wneud i'r holl beiriannau a'r seddi rhyfedd edrych yn erchyll yn y tywyllwch. Crynodd Gloria.

'Ych-a-fi, ma'r lle 'ma fel *torture chamber*,' meddai hi gan rwbio'i breichiau tenau gwyn.

'Paid â siarad dwli! Nawr, ma 'na switsh tu ôl i'r cownter fan hyn yn rhywle.'

Ymbalfalodd Mari yn y tywyllwch cyn clicio switsh ymlaen.

'Be sy'n digwydd nawr?' gofynnodd Gloria gan eistedd ar ryw sedd ryfedd gerllaw a oedd yn edrych fel petai'n dod o'r *Starship Enterprise*.

'Aros i'r peiriant gynhesu, stripio'n borcyn a mynd i mewn.'

'Ti'n siŵr ei fod e'n saff?' gofynnodd Gloria'n betrusgar.

'Berffaith. Dwi wedi'i weld e'n ca'l ei ddefnyddio filoedd o weithiau!'

Edrychodd Gloria ar y peiriant sgwâr anferth o'i blaen.

‘Ma fe’n edrych fel fflipin *tardis*!’

‘O bydd ddistaw ’nei di?’

Dechreuodd Mari dynnu’i dillad yn y tywyllwch tra bod Gloria’n cerdded o gwmpas.

‘Wel, os wyt ti’n trio gweud bod dy chwaer fawr yn hen wrach,’ meddai Gloria, ‘fi’n credu mod i wedi ffindio’i phair hi!’ Edrychodd y ddwy ar ryw wêr pinc poeth oedd yn ffrwtian ar fwrdd bach gerllaw.

‘Paid cyffwrdd â dim byd, neu fe fydd Miss Perffaith yn gwbod ein bod ni wedi bod ’ma!’

Doedd Mari a’i chwaer Cara ddim yn ffrindiau pennaf. A dweud y gwir, roedd Mari â chroen ei thin ar ei thalcen bob tro y byddai Cara o gwmpas ac fe fyddai ei chwaer yr un peth. Roedd Cara’n berchen ar salon harddwch yn y pentref ac yn treulio’i hamser naill ai’n bod yn berffaith neu’n gwneud pobl eraill yn berffaith. Yn ei hamser sbâr wedyn, byddai’n eistedd ar y soffa gyda’i chariad Tony – neu Townie fel y byddai Mari’n ei alw, gan mai un o’r dre gyfagos oedd e. Am ryw reswm, byddai’r ddau’n eistedd ar ben ei gilydd er bod ’na hen ddigon o le i’r ddau ar y soffa, a dyna lle bydden nhw’n snogio fel dau hŵfer Dyson.

Yn sydyn, dyma’r peiriant gerllaw’n gwneud sŵn a wnaeth i Gloria neidio a gollwng y cyrlyrs gwallt oedd yn ei dwylo.

'Gad i bethau fod! . . . Reit . . .' meddai Mari gan dynnu anadl hir, 'dwi'n mynd i mewn.'

'Ti'n siŵr?'

'*WELCOME TO CALI-TAN!*'

Daeth llais dalec Americanaidd o grombil y peiriant.

Neidiodd Gloria unwaith eto.

'O-mai-god! Pwy yw hwnna? Oes rhywun i mewn 'na?'

'*STEP INTO THE MACHINE FOR THE PERFECT SUNSHINE TAN!*'

'Bydd Gari'n siŵr o sylwi arna i ar ôl hyn!' meddai Mari gan wenu ar Gloria. A dyma hi'n camu i mewn i grombil y peiriant a hwnnw'n ei llyncu hi'n grwn.

'Ddylai e fod yn sylwi arnat ti beth bynnag,' sibrydodd Gloria. Eisteddodd yn ôl ar y sedd gan neidio bob nawr ac yn y man wrth i sŵn chwistrellu a llais rhyfedd ddod o'r peiriant.

Roedd Mari'n ffansïo Gari, bachgen o'r chweched dosbarth – er nad oedd e, mewn gwirionedd, yn gwybod am ei bodolaeth hi, hyd yn oed. Er hynny, fe fyddai Mari'n gwneud unrhyw beth o fewn ei gallu i'w gael i sylwi arni. Yn ddiweddar, roedd hi wedi penderfynu fod ei chroen yn rhy wyn, yn enwedig wedi i un o fechgyn y pumed ei galw'n Mini-milk ar ôl ei gweld yn ei dillad ymarfer corff. Crynodd y peiriant. Daeth sŵn chwistrellu ohono unwaith eto. Methai Gloria'n lân â deall pam fod rhyw sylw gwael gan fachgen – oedd mwy na thebyg yn ei ffansïo hi beth bynnag – wedi cael y fath effaith ar Mari. Wrth i ddrysau'r peiriant ddechrau crynu, daeth meddyliau Gloria'n ôl i'r presennol.

Agorodd y drysau trymion yn araf bach. Llifai mwg yn drwch ohono, gan wneud i Mari edrych fel rhywun yn ymddangos o'r tu ôl i ddrysau'r rhaglen *Stars in their Eyes*.

'O-mai-god!' gwichiodd Gloria a'i gên bron ar y llawr.

Edrychodd Mari arni mewn syndod.

'Beth? Ydw i'n edrych cystal â hynny? Ma hyn yn mynd i fod yn grêt! Alla i ddim aros i Gari 'ngweld i yn yr ysgol fory!'

Roedd Mari yr un lliw yn union â salami.

''Nes i droi rownd sawl gwaith i wneud yn siŵr fod y lliw yn llyfn.'

'Ymmm, well i ti edrych yn y drych, dwi'n meddwl!' mentrodd Gloria.

Edrychodd Mari yn y drych o flaen un o'r llefydd trin gwallt. Cryfhaodd golau'r lleuad am eiliad ac edrychodd arni hi'i hun mewn syndod. Tynnodd anadl gyflym i mewn.

Roedd Mari wedi anghofio tynnu'i ffrinj yn ôl nes bod hanner ei thalcen mor wyn â gwêr a'r hanner arall mor frown â lleder!

'Ma 'na groesfan sebra ar dy dalcen di!' meddai Gloria, gan geisio peidio â chwerthin wrth weld ei ffrind yn sefyll yn borcyn ac mor streipiog â chachgi-bwm o'i blaen.

'O na! Wnes i ddim dewis y lliw iawn! Dwi'n edrych fel taswn i wedi bod i lawr pwll glo!'

Yn sydyn, llenwyd yr ystafell â golau. Sgrechiodd Gloria a deifiodd Mari am ei dillad.

'A beth sy'n mynd 'mlan fan hyn 'te?'

Plismon y pentref oedd yno, gyda Cara a Townie'n edrych dros ei ysgwydd.

'O-mai-god,' meddai Mari drwy ei dannedd gan geisio cuddio'r rhannau angenrheidiol o'i chorff gyda'r pentwr dillad oedd yn ei dwylo. O leiaf roedd y lliw brown yn cuddio'r cochni oedd yn llifo i'w bochau. Yn ddiarwybod i Mari, roedd yna larwm cudd yn siop Cara. Petai rhywun yn mynd i mewn i'r adeilad, roedd larwm yn canu yng ngorsaf yr heddlu cyn i neb gael cyfle i ddianc.

'Mari!' ebychodd Cara gan rythu arni'n ddryslyd.

Gwenodd Mari arni'n lletchwith.

'Ti'n ddu! Be ti wedi neud i'r peiriant 'na?'

'Alla i esbonio . . .'

'Gloria?'

'H-hiya Cara! Nosweth neis, on'd yw hi?'

'Beth 'ych chi'ch dwy'n neud fan hyn?'

'Hy-hy-hy-hy-hy! . . . Hei, ma hyn yn grêt!' chwarddodd Tony. 'Bydda i'n gallu gweud yr hanes lawr y pyb nawr – hy-hy-hy-hy! – mod i wedi gweld cariad fi a'i chwaer hi'n borcyn! Hy-hy-hy-hy!'

Gyda hynny, teimlodd Tony ergyd galed o benelin Cara yn ei ochr. Wnaeth y plismon ddim byd ond chwerthin.

Pennod 2

'M . . . M . . . M . . . M . . . Mari! M . . . M . . . M . . . M . . . Mari!'

Roedd llais mam Mari yn neidio i fyny ac i lawr wrth iddi ddilyn ei fideo ymarfer corff boreol yn yr ystafell fyw.

'*When the going gets tough . . .*' Treiddiodd y miwsig i mewn i ystafell wely Mari. Cododd ar ei phenelin er mwyn edrych ar y cloc. Doedd hi ddim wedi cysgu winc. Hanner awr wedi saith.

'*The tough get going . . .*'

'O god! Na! . . .' meddai hi gan gwympo'n ôl yn drwm ar ei chefn. Roedd symudiadau ei mam yn gwneud i'r drych ar wal ystafell Mari guro yn erbyn y wal denau. Roedd waliau'r fflat yr un trwch â choese'r corynnod oedd yn byw yng nghorneli'r holl stafelloedd.

'. . . d . . . d . . . d . . . dere i ti gal brecwast!'

'*Yeah yeah, yeah yeah . . .*'

'O na, na . . !'

'Cym on Mari!' Llais dwfn Meic, ei thad, dros sŵn miwsig y fideo. Llusgodd Mari ei hun allan o'r gwely gan sylwi fod ei dillad gwely'n frown i gyd fel petai Rissole, y ci, wedi bod yn rowlio'n y parc cyn cysgu'n ei gwely am wythnos.

'O na!' edrychodd yn y drych ar y wal. Nid hunllef erchyll oedd neithiwr wedi'r cyfan! Roedd yna streipen dywyll ar draws ei thalcen a rhyw batshys rhyfedd o ddu ymhobman arall, a'r rheiny'n gwneud iddi edrych fel buwch Friesian. Dechreuodd y gwres lifo i'w bochau wrth iddi ail-fyw'r noson cynt. Bu ei mam a'i thad yn rowlio chwerthin am oriau ar ôl i Cara, Tony a hithau gyrraedd 'nôl ar ôl rhoi lifft adref i Gloria, ac fe ddechreuodd Mari weld ochr gomig y sefyllfa – hynny yw, nes i Cara sôn am y bil y byddai rhaid iddi ei dalu am alw'r plismon yng nghanol y nos. Fel cosb, bu'n rhaid iddi wedyn addo gweithio'n ddi-dâl am chwe dydd Sadwrn yn y siop dships deuluol i lawr y grisiau. Doedd hi ddim yn gwybod sut oedd hi'n mynd i gynilo arian i dalu'r dyled i'w chwaer, a gorfod gweithio'n ddi-dâl ar yr un pryd.

'Brecwast!' Llais Dad unwaith eto.

Gwisgodd Mari ei bathrôb cyn mentro allan i'r gegin.

'*Get out of my drea . . .*'

Roedd ei mam yn gwneud sit-yps yng nghanol y llawr erbyn hyn tra bod Rissole y ci yn gwylio pob symudiad a'i ben yn mynd i fyny ac i lawr. Edrychodd e'n syn ar dalcen Mari ac roedd hi'n siŵr fod hi wedi gweld rhyw wên slei ar ei hen wep.

'*. . . and into my car . . .*'

Roedd Cara'n eistedd yn ei hiwnifform wen, fer, dwt wrth y bwrdd bwyd yn gweithio bil allan i Mari. Edrychai Cara'n ddigon perffaith hefyd a'i gwallt golau wedi ei sythu a'i chwistrellu gyda stwff oedd yn gwneud iddo sgleinio'n angylaidd. Cribodd Mari ei bysedd drwy ei mwng tywyll hithau a cheisio tynnu'r bathrôb yn dynnach amdani. Rhythodd Cara arni wrth iddi eistedd i lawr.

'Nawr 'te, ma 'da fi syrpreis i ti'r bore 'ma,' meddai ei thad yn wên i gyd. Suddodd calon Mari. Cododd Cara ei phen ac edrych ar ei thad mewn ofn. Gwthiodd y darn papur ar draws y ford at Mari â'i hewinedd pinc a chododd yn gyflym.

'Rhaid i fi fynd . . .'

'Ond Cara, ro'n i'n meddwl y gallet ti helpu Mari gyda'r blasu 'ma!'

'Na, na Dad!' meddai hi gan gydio yn ei chot ar frys. 'Rhaid i fi fynd – fi'n hwyr!' Slamiodd y drws ar ei hôl gyda chymaint o glep nes i Rissole gyfarth yn uchel, a gallai Mari glywed sŵn traed Cara'n dianc i lawr y grisiau.

'Gan y byddi di'n gweithio tipyn lawr stâr o hyn mas, on i'n meddwl mai ti ddylai flasu'r fwydlen newydd yn gyntaf,' meddai ei thad wrthi.

Edrychodd Mari ar ei mam am achubiaeth, ond roedd honno yn ei byd bach ei hunan yn gwneud *press-ups* erbyn hyn ar lawr y gegin. Yn wir, gan ei bod hi'n dysgu aerobeg yn y Ganolfan Hamdden bob dydd, ac yn gwneud ymarferion gartref, roedd hi bellach yr un trwch â'r *plaice* oedd ei thad yn ei ffrio yn y siop dships. Fe gollodd Mari hi un diwrnod pan drodd hi i wynebu'r ochr.

'Ond sdim ise lot o fwyd . . .' cychwynnodd Mari.

'Paid â bod yn sili! Ma'n rhaid i bob merch ifanc fyta . . .' meddai ei mam, gan wincio arni.

Tynnodd Dad hambwrdd o'r cwpwrdd a'i osod o flaen Mari. Roedd e wedi taenu lliain dros y bwyd oedd yn sgelcian oddi tano. Roedd y cyffro'n amlwg ar ei wyneb. Doedd dim byd yn well gan ei thad na phethau wedi'u ffrio. Roedd e'n byw er mwyn saim. Roedd ei thad yn arbrofi drwy ffrio gwahanol bethau, o fariau siocled *Kit Kat* (am fod *Mars Bar* wedi'i ffrio wedi mynd allan o ffasiwn) i wyau 'di'u berwi ac unrhyw beth a ddeuai o fewn canllath iddo yn y cyfamser. Yn wir, roedd Mari'n amau i ble'r aeth Fred, y bochdew blewog oedd ganddi pan oedd hi'n ferch fach. Un diwrnod, roedd e'n bwyta ciwcymbyr yn hapus reit yn ei gaets, a'r munud nesa roedd e wedi mynd. Doedd Mari ddim wedi gallu profi unrhyw beth, ond roedd hi'n siŵr bod ei thad yn edrych yn fwy euog nag arfer am ychydig wynthnose ar ôl diflaniad y creadur. Yn wir, roedd ei obsesiwn am ffrio wedi effeithio ar

Mari ers pan oedd hi'n fabi bach, gan iddi hi gael ei henwi ar ôl y *Maris Piper* – y math gorau o daten i wneud tships ohoni yn y byd, yn ôl ei thad. A dyma Mari yn ei chanol hi heddiw eto!

'Ti'n gwbod fod llawer o bobl, fel dy fam fan hyn,' eglurodd ei thad wrth droi i edrych ar ei wraig yn chwysu ar y llawr, 'yn ceisio bwyta'n fwy iach.'

'Odw . . . ond . . .' atebodd Mari'n ansicr gan symud ei phwysau o un boch ei thin i'r llall.

'Wel, meddwl yr o'n i y dylwn i newid y fwydlen damed bach falle.'

'Syniad da,' meddai Mari gan ddychymygu ambell daten bob a brechdanau salad.

'Wel . . . TA-RA!'

Roedd gwên anferth ar wyneb ei thad wrth iddo chwipio'r lliain oddi ar y bwyd ar yr hambwrdd.

Syllodd Mari ar chwe phelen seimllyd o gytew yn chwysu ar ddarn o bapur cegin. Edrychodd ei thad arni'n llawn cyffro. Roedd y saim yn ymledu'n gwmwl mawr tryloyw o dan bob un.

'Mmmmm,' meddai Mari'n gelwyddog, 'edrych yn neis!'

Ceisiodd ei gorau i feddwl am esgus i beidio â'u bwyta, ond gan nad oedd hi wedi cysgu winc drwy'r nos, roedd yr esgusodion yn ara iawn yn dod.

'*Ryvita* wedi'i ffrio,' eglurodd ei thad gan bwyntio at y lwmpyn cyntaf. 'Tomato mewn cytew, seleri mewn cytew, peli brocoli . . . dries i ddarnau o giwcymber, ond fe ffrwydron nhw – gormod o ddŵr, am wn i!' Arhosodd am eiliad i grafu'i ben . . . 'Ymmm . . . O ie, letys a *cottage cheese*!'

Teimlodd Mari'r cyfog yn codi i gefn ei gwddf.

Doedd y siop deuluol, y *Salt and Battery*, ddim yn gwneud yn dda iawn, a gyda bwyty Tseinïaidd newydd yn agor yn y pentref ymhen y mis, roedd tad Mari'n fwy penderfynol nag arfer i roi cynnig ar fwydydd fyddai'n denu pobl i'r siop. Gwthiodd Meic y fforc i mewn i law Mari. Roedd hi'n gwybod y byddai'n siomi ei thad pe bai hi'n gwrthod blasu'r bwyd.

Gwthiodd Mari'r fforc i mewn i un o'r lympiau. Chwistrellodd sudd tomato a hadau dros bob man. Cododd y fforc yn araf, araf i'w cheg.

DING DONG.

Canodd cloch y drws.

'Www!' neidiodd Mari ar ei thraed. 'Ma Gloria 'ma'n barod! Fi'n hwyr! Sori, Dad! Fe wna i 'u blasu nhw heno!'

Rhedodd Mari i'w hystafell yn gyflym gan gau'r drws yn ddiolchgar ar ei hôl. '*Saved by the bell . . .*' meddai dan ei hanadl wrth wrando ar leisiau Gloria a'i thad yn chwerthin am helyntion y noson cynt. Yna clywodd y drws yn cau a'i thad yn mynd i lawr y grisiau i wneud yn siŵr fod y siop yn barod ar gyfer agor amser cinio. Ymolchodd yn gyflym cyn gwisgo'i hiwnifform a mynd i ystafell wely Cara er mwyn trio taenu rhyw *bronzer* dros ei thalcen – ond gan fod hwnnw'n wahanol liw i'r tan, roedd ganddi nawr dalcen *two tone*.

Edrychodd ar ei hadlewyrchiad yn y drych a cheisiodd gribo'i ffrinj tywyll, trwchus ymlaen dros ei thalcen. Methai ddeall sut y cafodd Cara'r tonnau euraid, llyfn, sindïaidd, tra ei bod hithau'n sdyc gyda rhyw fwng na fyddai'n edrych o'i le o gwbwl ar *Shrek*. Y bwriad oedd teimlo'n ffantastig heddiw – yn frown, yn hyderus ac yn gorjys. Yn lle hynny, roedd hi'n teimlo fel taten, heb sôn am y ffaith ei bod hi wedi ei henwi ar ôl un!

Roedd mam Mari'n plygu dros fwrdd y gegin yn edrych ar rywbeth gyda Gloria pan ddaeth Mari allan o'i hystafell wely a'i bag ysgol dros ei hysgwydd.

'Ma rhai menywod yn hoffi'r rhain, ti'n gweld. *Tampons* wyt ti'n eu galw nhw . . .'

Nodiodd Gloria gan wneud ei gore glas i gadw wyneb difrifol iawn.

'O-mai-god Mam! Ti mor embarasin!'

Roedd Gloria'n dal i wenu.

'Beth?' gofynnodd ei mam gan drio edrych yn ddiniwed reit, ond roedd gwên ddireidus ar ei gwefusau. Dechreuodd daflu cymysgedd o ffrwythau i mewn i flender er mwyn gwneud sudd i frecwast.

'Dim ond dangos y *basics* o'n i . . . chwarae teg iddi, dyw Gloria ddim yn cael llawer o help gartre!'

‘Alla i ddim dy gredu di ambell waith! Gloria, dere!’ Tynnodd Mari hi gerfydd ei braich allan drwy’r drws. Trodd gwên Gloria’n don o chwerthin yn gymysg â sŵn eu traed yn rhedeg i lawr y grisiau.

‘Mwynhewch eich diwrnod!’ gwaeddodd mam Mari ar eu holau cyn i’w llais gael ei foddi gan chwyrlïo’r peiriant sudd.

Pennod 3

'Ti 'di neud gwaith cartref Mr Thomas?' gofynnodd Gloria.

'O na! Be dwi'n mynd i neud?' oedd unig ymateb Mari.

'Paid â becso. Orffennes i'r cwbwl cyn brecwast. Alli di ga'l copi gen i.'

Roedd hi'n amlwg fod Mari yn ei byd bach ei hunan, yn cofio dim am Mr Thomas nac unrhyw athro arall yn yr ysgol!

'Beth os wela i Gari? Dyw'r *bronzer* 'ma ddim wedi gweithio. Ma fe wedi gwneud pethe'n wa'th, os rhywbeth!' ychwanegodd Mari mewn tipyn o banig.

'Dwi ddim yn gwbod shwt ma dod i ben â'r holl waith TGAU 'ma!' ebychodd Gloria.

'Bydd rhaid i fi weud bod *jaundice* neu rywbeth arna i . . .'

'Ma cymaint o bethe i'w gwneud . . .'

'Neu *browneitis* . . . O's 'na'r fath beth â *browneitis* i ga'l?' holodd Mari mewn panig.

'Bydd rhaid i ni neud rhyw fath o amserlen ar gyfer adolygu . . .' ystyriodd Gloria.

'Bydd rhaid i fi gofio peidio â rhoi 'nwylo lan i

ateb cwestiwn . . . ma nhw'n orenj! . . . Diolch byth bod dim nofio 'da ni heddi, 'na i gyd galla i weud.'

'Oi! Ti ddim yn gwrando ar air dwi'n weud, wyt ti?' Stopiodd Gloria'n stond yn y coridor a wynebu Mari.

'Beth?' Edrychodd honno arni'n syn. 'O sori, Glors! Dwi ar blaned arall . . . chysges i ddim winc neithiwr. Beth wedodd Chris a Nigel 'te?'

'Wel, fe eisteddon ni lawr a siarad am y peth a wnaethon ni benderfynu gyda'n gilydd bod dim pwynt fy nghosbi i am fod hynna'n ffordd hen-ffasiwn o ddelio â phroblemau erbyn hyn, a wedon nhw mod i wedi neud y peth iawn wrth drio dy berswadio di i beidio â mynd i'r salon.'

'Grêt,' meddai Mari gan daflu ei breichiau i'r awyr, 'dwi'n ca'l cosb am wythnose ac rwyt thithe'n derbyn clod. Ffanfflipinbrilliantedig.'

Suddodd Mari ymhellach i mewn i'w hwyl ddrwg ac ailgychwynnodd y ddwy eu ffordd tua dosbarth celf Miss Owens. Er bod gan Gloria ddau dad hoyw oedd wedi ei mabwysiadu'n fabi bach, credai'n siŵr fod ei bywyd hi'n llawer mwy normal nag un Mari. Yr unig beth od wnaethon nhw oedd ei galw hi'n Gloria ar ôl Gloria Hunniford am fod Chris, ei thad cyntaf, wrth ei bodd gyda honno. Ond wir, roedd hynny'n well na chael eich henwi ar ôl taten! Roedd y ddau'n bensciri ardderchog hefyd, yn wahanol iawn i'r maniac ffrio a'r nytar ymarfer corff oedd gan Mari'n rhieni. Roedd Gloria a'i thadau'n byw mewn tŷ anferth ar lan yr afon yn rhan posh y pentref. Bydden nhw'n gwrando arni, yn gofyn ei barn hi am bopeth ac yn trafod popeth dan haul. Er hyn, roedd mam Mari'n siŵr ei bod hi'n colli cael ffiwgr mamol, felly bob tro y byddai hi'n dod draw, byddai'n ceisio dysgu Gloria am bethau merched, gan y tybiai fod 'y pŵr dab dan anfantais, siŵr o fod, heb neb gartre i esbonio'r pethe 'ma, druan fach'. Y peth comig oedd mai Gloria ddysgodd Mari am bethau merched yn y lle cyntaf ar ôl i Chris a Nigel esbonio popeth iddi hi ryw brynhawn Sadwrn glawog.

'Mari!'

Roedd Mari wedi troi'r gornel mor gyflym nes i'w thrwyn blannu ei hun ym mrest Graham o'r Chweched. Camodd Mari'n ôl.

'O haia . . .' sylwodd Mari yn sydyn fod Gari wrth ei ochr. 'O haia, Graham! Ti'n ocê? Be sy 'mlan? Unrhyw newyddion? Ti'n ocê? Sut ma pethe'n mynd? Ti'n ocê?'

Edrychodd Graham arni'n syn. Doedd hi byth yn arfer bod mor serchog. Cochodd Gloria. Sylwodd Mari fod Gari'n edrych arni am y tro cyntaf erioed.

'Ti'n edrych . . .' cychwynnodd Graham gan ymbalfalu am eiriau, '. . . yr un lliw â . . . thost.'

Gwenodd Gari wrth edrych arni.

Aeth coesau Mari'n wan i gyd. Methodd feddwl

am unrhyw beth i'w ddweud. Synhwyrodd Gloria hynny a phenderfynodd geisio achub ei ffrind.

'Wel, licen ni aros fan hyn yn siarad drwy'r dydd ond ry'n ni'n fisi,' meddai hi gan dynnu ar fraich Mari. Roedd honno fel petai wedi ei gludo i'r llawr.

'Ymm . . .' cychwynnodd Graham eto. 'Meddwl galw heibio o'n i i weld dy dad, a gweud y gwir.'

'O ie?' meddai Mari gan godi'i haeliau.

'Dad wedi colli'i job yn *Kwikfit*, pethe'n dynn.'

Roedd Gari wedi mynd 'nôl i edrych ar y merched oedd yn cerdded heibio. Gwenodd ar ferch o'r Chweched oedd yn edrych fel copi perffaith o Cara – yn blond ac yn gigyls i gyd. Teimlai Mari'n flin.

'Meddwl falle bod 'na jobyn yn mynd yn y *chippy*. Base'n help i mi weithio rhan amser.'

Roedd Mari'n edrych ar Gari.

'Mari?'

'Ie?'

'Gwaith yn y *chippy*?'

'O ie,' edrychodd Mari 'nôl ar Graham. 'Wel, galwa i weld Dad. Ma fe'n newid y fwydlen ar hyn o bryd. Ry'n ni'n mynd i fod mewn cystadleuaeth gyda'r Tsieinîs newydd sy ar fin agor.'

'Ie, weles i nhw'n peintio'r siop y diwrnod o'r blaen, ma'r lle'n edrych yn smart . . . Eniwê,' meddai Graham gan edrych damed yn hapusach, 'fe alwa i draw ryw noson.'

Roedd Gari'n edrych arni unwaith eto.

'Ti'n gwbod ble ma'r siop yn dwyt ti?' meddai Mari yn sydyn gan wenu'n llydan ar Graham.

'Ydw . . .' meddai Graham yn ddryslyd. 'Dwi wedi bod yn byw yn y pentref ar hyd fy oes, ac os wyt ti'n cofio, dwi'n dod i mewn i brynu tships unwaith yr wythnos i dad-cu.'

'Y *Salt and Battery*, 15 Heol y Farchnad, Llansant SA29 8UT a'r rhif ffôn yw 01743 600 331.'

'Iawn . . . grêt,' meddai Graham gan edrych arni'n syn.

Tynnodd Gloria ar ei braich yn galetach y tro hyn. 'Dere 'mlan Mari, ni'n hwyr,' meddai drwy ei dannedd.

'600 331!' gwaeddodd Mari dros ei hysgwydd wrth ddechrau cydgerdded gyda Gloria.

'Beth yn y byd wyt ti'n neud?' poerodd Gloria a'i bochau'n goch sgald.

Roedd gwên anferth ar wyneb Mari.

'Ma hyn yn grêt! Ma fe 'di gweithio!'

'Beth sy wedi gweithio?'

'Y ffêc tan! Ma Gari wedi sylwi arna i!'

'Bêb, bydde dyn dall yn sylwi arnat ti heddi, y ffordd wyt ti'n edrych.'

'Ie, ond dwyt ti ddim yn deall? Ma'r ffêc tan wedi neud y job! Wnaeth e edrych arna i a ma fe'n gwybod ble dwi'n byw nawr a beth yw fy rhif ffôn i!'

'Cyfrwys!' meddai Gloria gan godi'i haeliau.

'O'n ni ddim yn sylweddoli bod Graham a Gari'n gymaint o ffrindiau. Felly os galla i berswadio Dad i roi gwaith i Graham, bydd Gari'n siŵr o alw i mewn bob nawr ac yn y man ac fe alla i gael ei hanes e 'wrth Graham!'

'Dwi'n gweld.'

'Clyfar, ontefe?' meddai Mari gan daro'i bys oren ar ei thalcen yn smỳg. 'Ti'n gweld, Glors, nid dim ond . . . *pretty* . . . ym . . . *stripey face* ydw i wedi'r cwbwl!'

Pennod 4

Roedd ei thad yn eistedd wrth y bwrdd pan gyrhaeddodd Mari adref. Roedd hi wedi bod yn whilibowan am dipyn, gan alw yn y siop bapurau ar ei ffordd o'r ysgol er mwyn gwastraffu amser yn y gobaith y byddai Dad wedi anghofio am y gwaith blasu. Byddai e'n ei disgwyl adref bob dydd gan ei fod yn cau'r siop rhwng amser cinio ac amser swper am ei bod hi'n dawel. Roedd hi wedi gorfod cychwyn am adref yn y diwedd oherwydd doedd ganddi ddim arian i brynu dim byd yn y siop beth bynnag, ac roedd y perchennog yn dechrau edrych arni fel pe bai hi ar fin dwyn rhywbeth unrhyw funud.

'Helô!'

Wnaeth ei thad ddim hyd yn oed codi'i ben i edrych arni. Roedd e'n sgriblan yn ffyrnig ar ddarn o bapur tra bod Rissole yn chwyrnu'n swnllyd wrth ei draed. Roedd y samplau bwyd yn dal i ledu eu saim ar hyd y papur cegin ers y bore.

Gollyngodd Mari ei bag ysgol gan wneud iddo ddisgyn ar y llawr gyda chlec swnllyd.

'O helô!' meddai Dad gan sylwi arni o'r diwedd.

'Ma dy fam yn dal i roi gwersi a dyw Cara ddim wedi dod 'nôl eto.'

'Be ti'n neud 'te?'

'Aha! *Master plan*, Mari fach, *master plan* sy'n mynd i neud y *Salt and Battery* yn siop dships fwyaf poblogaidd Cymru! *Think big*, Mari fach, *think big*!'

Aeth Mari i chwilio am sudd yn y ffrij – roedd honno'n llawn dop o ffrwythau a llysiau ei mam a phowlenni o gytew melyn yn perthyn i'w thad.

'Be sy ar dy feddwl di nawr?'

'Wel, gwahanol ffyrdd o gael sylw i'r siop, ontefe. Marchnata, Mari fach, 'na beth sydd ise arnon ni.'

'Wel, beth bynnag ti'n neud . . .' mentrodd Mari gan wenu, cyn cymryd llwnc o'r botel sudd, 'paid gweud dy fod ti'n mynd i neud calendar niwd â'r modelau'n dala tamaid o god neu hadoc dros y rhannau angenrheidiol, 'na i gyd!'

Chwarddodd Mari gan geisio peidio â meddwl am y fath olygfa erchyll. Sylwodd nad oedd gwên ar gyfyl wyneb ei thad. Edrychodd y ddau ar ei gilydd am eiliad.

'Na, paid hyd yn oed â meddwl am y peth.'

'Wel, bydde fe'n un ffordd o gael sylw!'

'Ond Dad . . .' ymbalfalodd Mari am eiriau gan feddwl am bobl y pentref yn gweld ei thad yn noethlymun gyda chorgimwch yn cuddio'r rhannau angenrheidiol.

'Ma hwnna'n . . . yn . . . yn . . . afiach!'

Meddyliodd ei thad am eiliad cyn tynnu llinell drom drwy frawddeg ar ei gynllun.

'Beth arall sydd ar y rhestr?' gofynnodd Mari'n gyflym gan geisio troi ei thad oddi ar drywydd y calendr.

'Cystadleuaeth bwyta tships.'

'Gwell . . .' Eisteddodd Mari wrth ei ochr.

'Trio mynd am record gyda'r *Guinness Book of Records*.'

'Yn neud beth yn union?'

'Y platied mwya o dships yn y byd?'

'Sai'n credu 'ny! Pwy fydde'n pilo'r tato i gyd?'

Gwenodd ei thad arni'n slei.

'No wei, anghofia fe!' Edrychodd Mari ar y rhestr, 'Beth arall 'te?'

'Cystadleuaeth tynnu lluniau i'r plant lleol?'

'Llun o beth?'

'Pysgod a phethe . . .'

'Gwell, ac yn haws i'w drefnu.'

'A falle rhoi cot o baent i'r walydd a chael cadeiriau newydd i bobl eistedd arnyn nhw pan fyddan nhw'n aros am eu hordor.'

'Grêt! . . .' dechreuodd Mari dwymo at y dasg, 'a beth am roi papurau newydd a chylchgronau iddyn nhw i'w darllen tra maen nhw'n aros . . .'

'Ie . . . y *Fish Markets Weekly* . . .'

'Na . . . rhywbeth mwy cyffredinol, ysgafn . . . a falle meddwl am gynnig gwahanol fathau o bysgod, mwy o amrywiaeth ac ailsgwennu'r fwydlen . . . '

Roedd ei thad wrth ei fodd.

'Briliant!' meddai gan godi ar ei draed. 'Gei di ddechre ar y gwaith ddydd Sadwrn!'

'E?'

'Gei di ddechre ddydd Sadwrn,' meddai ei thad eto, gan gamu tuag at y drws. Sylweddolodd Mari faint o waith roedd hi newydd wirfoddoli ar ei gyfer. Yna, fe welodd ei chyfle.

'Bydd angen help arna i.'

Agorodd y drws a daeth Cara i mewn gan daflu ei bag a'i hallweddi ar y ford a mynd i'w hystafell wely gan gau'r drws yn glep. Gwyliodd Mari a'i thad hi heb ddweud gair.

'Rhywun arall i weithio ddydd Sadwrn tra mod i'n gwneud y gwellianne!' ailgychwynnodd Mari.

Meddyliodd ei thad am funud neu ddau.

'Oce, chwilia am rywun; fe fydd e'n talu'r ffordd yn y diwedd pan fydd y lle 'ma'n ferw o gwsmeriaid pan agorwn ni ar ein newydd wedd ddiwedd y mis.'

'Ond 'na pryd mae'r Tsieinîs newydd yn agor!'

'Yn union!' meddai ei thad â winc, gan gau'r drws ar ei ôl. Dihunodd Rissole yn y sŵn cyn gorwedd yn ôl i lawr yn flin. Gwenodd Mari, yn teimlo'n bles â hi ei hun. Yna, dechreuodd llais Cara darannu o'r ystafell wely.

'Mari! Mari! Beth yffach wyt ti wedi'i neud â'r *bronzer* 'ma? Hwn yw'r un gore sy 'da fi!'

Neidiodd Mari ar ei thraed a rhedeg i ddiogelwch ei hystafell wely hithau.

Pennod 5

Dydd Sadwrn, ac roedd hi'n dawel yn y siop tships. Yr unig sŵn i'w glywed oedd peiriannau'n hymian yn dawel a sŵn ambell bryfyn yn cael *zap* yn y peiriant lladd pryfed ar y wal. Siop hir, gul oedd hi gydag ystafell fach yn y cefn er mwyn paratoi'r bwyd a storio stoc. Yn y fan honno hefyd roedd y grisiau i'r fflat ac roedd yn rhaid i chi ymladd eich ffordd rhwng caniau o olew llysiau cyn gallu cyrraedd adref. Dim ond siop dships, siop harddwch Cara, siop bapurau, siop Spar ac ysgol oedd yn y pentref mewn gwirionedd. Roedd Llansant y math o le y byddech chi'n debygol o yrru drwyddo.

Tynnodd Graham y ffedog felen â logo'r *Salt and Battery* dros ei wallt tywyll gan ymbalfalu am y llinynnau o gwmpas ei ganol. Gorffennodd Mari wthio'i mwng afreolus i mewn i'r rhwyd wallt hyll, a edrychai fel cwdyn tanjerîns, cyn ei helpu. Fel arfer, byddai hi'n mynd yn goch i gyd pan fyddai bechgyn golygus yn dod i mewn i'r siop a hithau'n edrych fel Marge Simpson, ond Graham oedd hwn, ac roedd hi'n ei adnabod ers blynyddoedd. Fe fuon nhw hyd yn oed yn chwarae *kiss-chase* gyda'i gilydd yn yr ysgol gynradd, felly doedd e ddim yn cyfri fel bachgen iddi hi a dweud y gwir.

'Reit, dere i ni gael mynd dros y *basics* er mwyn i fi gael mynd i wneud rhywbeth arall,' meddai Mari.

Roedd Mari'n hen law ar waith y siop dships. Roedd ei thad yn gorfod bod o gwmpas o ran y rheolau iechyd a diogelwch, ond roedd hi'n medru rhedeg y siop ar ei phen ei hun bron cystal ag ef. Gallai gofio beth oedd pob un o'r *regulars* yn ei gael heb unrhyw broblem, a gallai gofio hefyd pwy fyddai eisiau pys slwtsh gyda'u pysgod a phwy fyddai ddim. Bu'r siop yn agoriad llygaid iddi hefyd, gan fod pob math o bobl yn galw i mewn.

Fe ddysgodd Mari, yn ifanc iawn, fod yna ddau fath o bobl yn y byd: y math oedd yn gwybod beth oedd *rissoles* a *faggots* a *fishcakes* a'r rhai oedd ddim. Roedd y bobl oedd ddim yn gwybod yn byw yn rhan posh y pentref. Pur anaml y bydden nhw'n taro i mewn i'r siop, a hynny dim ond i brynu ambell ddarn o bysgodyn. Fydden nhw byth yn mynd ag un o'r ffyrcs plastig na phren (roedd yna wastad ddewis yn y *Salt and Battery*) ac roedden nhw'n gofyn am saws tartare yn lle sos coch ac yn talu gyda phapurau ugain. Byddai'r rhai oedd yn gwybod beth oedd *rissole*, *faggots* a *fishcakes* yn dod i mewn yn llawer mwy aml, yn cael sos cyrri neu grêfi dros eu tships nhw, ac yn rhifo'u harian allan ar y cownter fformeica coch. Dyna oedd y prif wahaniaeth.

Ond roedd yna fath arall o bobl yn galw yn y siop hefyd. Rhain oedd y *regulars*. Ymhlith y rhain roedd y pyrf â'r gwallt seimllyd o Rif 47 oedd wastad yn dod i mewn pan oedd Mari'n gweithio ac yn gofyn mewn ffordd ych-a-fi am *jumbo sausage*. Mr a Mrs Davies, oedd yn dod i mewn bob nos Wener ac yn cael y *pensioners' special* ac yn rhannu can o lemonêd. Byddai'r bois oedd yn gweithio ar y seit adeiladu newydd yn dod i mewn i brynu *chip butties* amser cinio, a'r bechgyn o'r cyb sgowts ar nos Iau wastad yn holi am wahanol fathau o beis er mwyn eu bwyta ar y ffordd adref. Wedyn roedd 'na bobl mwy anodd – y dyn â nam ar ei leferydd o rif 9, fyddai wastad yn gofyn am '*Fishing trips*' gan beri i aelodau newydd o'r staff ei gyfeirio at yr harbwr yn y pentref nesaf, nes iddyn nhw sylweddoli mai '*Fish and Chips*' oedd arno ei eisiau. A Philip, drws nesa, fyddai'n dod i mewn i brynu dogn ddwbwl o dships bron bob nos ac yn sefyll y tu allan yn eu bwyta rhag mynd â nhw adref. Byddai pawb wedyn yn clywed ei fam, drwy'r walydd tenau, yn gwylltio'n gacwn am 'fwyta'i hun i farwolaeth'. Roedd Mari'n siŵr ei bod hi'n dal i roi slipersen iddo ar draws ei ben-ôl hefyd, er bod y boi yn ei bedwardegau. 'Bydd gen i waith esbonio'r cyfan i Graham,' meddyliodd Mari.

'Fan hyn ry'n ni'n paratoi'r pysgod. Ma Dad yn prynu pysgod yn ffres bob dydd bron.' Nodiodd Graham wrth ganolbwyntio.

'Dad sy'n gwneud y cytew – geith neb arall fynd yn agos ato fe. Ma fe'n gweud fod ganddo fe ryw rysáit gyfrinachol – sai'n credu'n bod ni'n moyn gwbod be sydd ynddo fe a gweud y gwir.'

'Ydy e wedi'i sgrifennu hi lawr yn rhywle?'

'Na, dim ond yn ei ben e ma'r rysáit yn bodoli. Ma fe'n dweud ei fod e'n mynd i rannu'r gyfrinach gyda fi pan fydda i'n ddeunaw oed.'

'O wel . . . tshênj o gael allwedd i'r drws a dy beint gynta,' meddai Graham gan edrych i mewn i fowlen o'r hylif trwchus, seimllyd, lliw hufen.

'Hmmm . . . a fan hyn ry'n ni'n ffrio. Bydd raid i ti wylio am sbel yn gyntaf, rhag ofn i ti losgi.'

'Iawn.'

'Ma'r pethe i ddal y pys slwtsh a'r grefi a'r saws cyrri'n fan hyn . . . bach . . . canolig . . . mawr.'

'M-hm.'

'Sos fan hyn.'

'Ie.'

'Shwt ma Gari?' gofynnodd Mari gan geisio swnio'n cŵl.

'Ie.'

'Beth?'

'O Gari! Iawn fi'n credu. Sa i wedi'i weld e ers dechre'r wythnos.'

Cwympodd calon Mari; efallai nad oedd y ddau'n gymaint â hynny o ffrindiau wedi'r cwbwl.

'Papur newydd a bocsys gwyn fan hyn er mwyn lapio.'

Roedd Graham yn ei dilyn y tu ôl i'r cownter gan wneud ei orau glas i ganolbwyntio.

'Halen a finegr. Cofia ofyn a ydyn nhw eisiau fe cyn dechre – ma rhai pobl yn ffysi ofnadw!'

'Do'n i ddim yn sylweddoli'ch bod chi'n ffrindie mor agos,' pysgotodd Mari.

'Ymmm . . .' roedd Graham yn ei chael hi'n anodd canolbwyntio ar ddwy sgwrs ar yr un pryd. 'Ydyn . . . roedden ni'n chware pêl-droed gyda'n gilydd i dîm y dre.'

'Ma fe'n chware pêl-droed bob dydd Sadwrn?'

'Mm-hm, draw'n y dre,' meddai Graham wrth geisio cofio lleoliad popeth, 'dwi 'di ca'l dolur ar 'y 'mhen-glin . . . methu chware'r tymor 'ma o gwbwl. Ma Gari'n pasio drwy'r pentref bob nos Sadwrn ar ei ffordd 'nôl o'r gêm. Ma gyda fe 'L' plates ar y car a ma'i frawd e'n basinjer . . . Diawl lwcus!'

'O?'

'Digon o arian, ti'n gweld . . . Mam a Dad wedi prynu car iddo fe!'

'Neis . . !'

'Mmm, neis iawn!'

'Til fan hyn. 6767 yw dy god di. Ma pris popeth ar y fwydlen o flaen y til.'

'Ma rhai ohonon ni'n gorfod cymryd jobyn arall mla'n . . . Dwi'n gorfod codi i fynd ar rownd bapurau am chwech bob bore'n barod.'

Meddyliodd Mari mai'r teip oedd ddim yn gwybod beth oedd *rissoles* a *faggots* a *fishcakes* fyddai mam a thad Gari. Y math o bobl fyddai'n talu gyda phapurau ugain newydd sbon. Syrthiodd ei chalon ryw ychydig.

'Mari?' gofynnodd Graham.

'O, sori . . . hym . . . ie . . . ffyrcs ar y cownter . . . pren a phlastig . . . deall?'

'Odw.'

Canodd cloch y drws. Edrychodd Graham ar Mari mewn panig.

'Wel . . . dwi wedi esbonio popeth i ti . . . mae popeth yn barod . . . adawaf iti glatsho bant â phethe 'te.'

Edrychai Graham yn hynod ansicr. Daeth hen foi at y cownter a gwenodd Mari ei chefnogaeth ar Graham cyn diflannu i'r cefn i glustfeinio rhag ofn.

'Dau sosej a tships os gweli di fod yn dda,' daeth llais sigledig yr hen ddyn.

'Dau sosej a tships neu dau sosej a dau tships?'

'Ie, ie.'

'Ie, ond pa un?'

'Dau sosej a tships os gweli di fod yn dda.'

'Sosej a tships ddwywaith?' gofynnodd Graham.

Dechreuodd Mari wenu wrth agor bocsaid o ganiau *Coke* yn y cefn.

'Sori?'

Tynnodd Graham anadl hir a cheisio eto.

'Odych chi eisiau dau sosej a platied o tships neu dwy sosej unigol a dau blatied o tships?'

'Sori, chi wedi 'ngholli fi nawr, ise mynd â nhw gartre odw i. Dwi mo'u heisie nhw ar blat!'

'Na na, dim 'na beth o'n i'n feddwl . . .'

'Chi'n gwbod beth?' torrodd yr hen foi ar ei draws yn ddryslyd, 'fi'n credu bo 'da fi damed o ham adre . . . fi'n credu yr af i gatre i ga'l hwnnw,' a cherddodd yn araf am y drws.

Clywodd Mari gloch y drws yn cau. Dechreuodd hi chwerthin.

'Da iawn, Graham! Briliant!'

Clywodd Graham yn dyfyrio o dan ei hanadl.

'Bolycs!'

Pennod 6

Roedd Cara'n llefain mor uchel nes bod y sŵn yn cario'r holl ffordd i lawr y grisiau gan beri i'w thad ddod i fyny o'r siop bob nawr ac yn y man i roi ei ben o gwmpas y drws er mwyn ceisio ei pherswadio i fod yn dawel. Wedi'r cwbwl, roedd y cwsmeriaid yn dechrau cael ofn. Roedd hyd yn oed Rissole wedi dechrau udo oherwydd yr holl sŵn.

'O na, dim eto,' meddai Mari gan dynnu ei threiners gorau. Ar ôl dwy awr o wersi mathemateg dyma'r peth olaf roedd arni ei eisiau.

Roedd Cara a Tony'n gorffen gyda'i gilydd o leiaf unwaith bob tri mis. Byddai e'n dweud ei fod wedi ffeindio rhywun arall ac yna, ar ôl rhyw fis, yn ailddechrau anfon blodau ati ac yn ennill Cara'n ôl gydag addewidion crand a thedi bêrs o *Clinton Cards*. Doedd Mari byth yn medru deall pam y byddai hi'n ei gymryd yn ôl. Yn wir, doedd Cara ddim yn fyr o edmygwyr. Roedd hi'n un o'r rheini allai achosi damweiniau traffig wrth gerdded i'r siop i nôl peint o laeth hyd yn oed. Wrth edrych arni'n gorwedd ar y soffa, a Mam yn ceisio rhwbio'i braich fel petai hi'n ceisio gwella dolur, roedd Mari'n dechrau meddwl tybed a oedd bechgyn yn werth y drafferth o gwbwl os mai dyma oedden nhw'n ei wneud i chi. Winciodd ei mam ar Mari.

'Cara, ma Mari adre, be am inni ga'l te sinsir?' Dyna ateb Mam i bopeth – te sinsir a hanner awr fach o aerobeg. Roedd hanner galwyn o de cyffredin a *Mars bar* mawr yn swnio'n well syniad i Mari.

Nodiodd Cara, ac fe glywid synau snwffio yn erbyn defnydd y soffa. Cododd Mam a mynd i'r gegin gan arwyddo ar Mari er mwyn dweud wrthi am gadw cwmni i Cara nes y byddai hi'n dod 'nôl. Eisteddodd Mari'n ansicr. Roedd eistedd ar bwys Cara'n beryg beth bynnag, ond roedd eistedd ar bwys Cara yn ei hwyliau presennol fel eistedd ar bwys draig danllyd a thynnu ei chynffon am laff! Ymbalfalodd Mari am rywbeth i'w ddweud.

'Hei, paid â bod fel hyn! Dyw e ddim werth yr holl halibalŵ!' Roedd Mari'n eitha ples â'i hunan – roedd hynny'n swnio'n eitha da.

'Beth . . . sniff . . . sniff . . . wyt ti'n . . . sniff . . . wbod?'

Meddyliodd Mari am funud. Roedd gan Cara bwynt. Yr agosa at gael gariad y daeth Mari erioed oedd snog gydag un o'r bechgyn cyfnewid o Ffrainc pan oedd hi'n dair ar ddeg. Buon nhw hyd yn oed yn llythra nes i Rissole, y ci diawl, fwyta'r darn o bapur â'i gyfeiriad e arno. A dyna ddiwedd ar hynny. Rhaid cyfaddef nad dyna'r dechreuad mwyaf disglair i'w bywyd carwriaethol y bu hi'n breuddwydio amdano er pan oedd hi tua deg oed!

Dechreuodd Cara lefain yn waeth.

'Dyw e ddim yn dy haeddu di beth bynnag.'

Daeth y snwffian unwaith eto. O feddwl am dymer arferol Cara, a pha mor gas roedd hi'n medru bod, doedd Mari ddim yn gallu meddwl am lawer o resymau pan nad oedd e'n ei haeddu hi chwaith. Ond yn sicr, ddyle Tony ddim ymddwyn fel hyn!

'Bydd popeth yn iawn,' mentrodd Mari eto gan ddefnyddio llais tyner y tro hwn. 'Fyddwch chi 'nôl gyda'ch gilydd 'to cyn bo hir.'

Daeth wyneb Cara i'r golwg. Roedd ei *mascara* wedi rhedeg ar hyd ei hwyneb i gyd ac roedd ei gwallt hir hi'n sticio'n sownd wrth ei bochau. Synhwyrodd Mari iddi ddweud y peth anghywir. Roedd siâp graen defnydd y soffa ar drwyn Cara am ei bod wedi bod yn gwasgu yn ei erbyn am amser mor hir.

'Pam ti'n gweud 'ny?'

Doedd Mari ddim wedi disgwyl hyn. Meddyliodd yn galed.

'Am 'ych bod chi'n cael patshys gwael bob nawr ac yn y man, ond chi wastad yn gweithio pethe mas yn y diwedd.'

'Ti'n trio dweud bod ni 'nôl a mla'n fel io-io – dyna beth wyt ti'n weud?'

'Nage.'

‘Bod ein perthynas ni’n rybish?’

‘Na, dim . . .’

Sychodd Cara ei llygaid gan ddechrau cael blas arni. ‘Ti ddim yn meddwl ein bod ni o ddifri?’

‘Edrych . . .’

‘Ac os nad wyt ti’n meddwl ein bod ni o ddifri, ti ddim yn meddwl mod i’n ypsét go iawn wedyn, wyt ti?’

Roedd Cara’n rhoi geiriau yng ngheg ei chwaer fach a Mari wedi colli’r trywydd yn llwyr erbyn hyn.

‘Ym . . . ie . . ?’ edrychodd ar Cara i weld ai dyma’r ateb oedd hi’n ei geisio. ‘Na? Ym . . . ga i ffonio ffrind?’

‘Wel, diolch yn fawr Mari.’ Roedd wyneb Cara’n dechrau troi’n binc.

‘Bydd Gloria’n gwbod yr ateb!’ mentrodd Mari, oedd erbyn hynny wedi mynd i banics gwyllt.

‘Ma ’ngehariad i wedi gorffen gyda fi a wedi mynd at rywun arall. Dyw ’nhad i ddim yn gadael i fi lefen rhag ypsetio’r bobl sy’n prynu tships lawr stâr . . .’ Roedd Cara’n dechrau gweiddi nawr, ei hwyneb hi’n goch ac yn boeth ac yn wlyb gan ddagrau. ‘A . . . a . . . dyw’n fflipin chwaer i ddim yn credu mod i’n ypsét go iawn a mod i’n chwarae gêm ’nôl a mla’n gyda ngehariad . . .’ Roedd hi’n beichio llefen erbyn hyn. ‘A ma Mam yn gwneud te sy’n tasto fel piso cath, ond bydd raid i fi ei yfed e achos do’s neb yn fodlon dweud wrthi ei fod e’n tasto’n rybish!’

‘O?’ ebychodd eu mam, oedd yn sefyll wrth ddrws y gegin yn dal tebot, ‘Af i ’nôl â hwn ’te,’ ychwanegodd, cyn troi ar ei sawdl.

Cododd Cara ar ei thraed. ‘*Nice one sis*,’ poerodd a cherdded i’w hystafell wely gan slamio’r drws mor galed nes i rai o’r tlysau roedd ei mam wedi eu hennill mewn cystadlaethau aerobeg gwympo’n drwm oddi ar y silff a glanio’n deilchion ar y llawr.

Eisteddodd Mari ar y soffa am dipyn wedi drysu’n lân cyn sylweddoli bod Rissole wedi cnoi ei threiners gore nes bod yna ddrifls drostyn nhw a thyllau anferth yn ei blaenau!

Pennod 7

'Haia Glors!'

Roedd Mari'n sefyll y tu allan yn disgwyl amdani hi heddiw, am unwaith. Roedd ei mam a'i thad wedi aros i fyny tan oriau mân y bore yn trafod y busnes a'r sefyllfa gyda Tony ac roedd eu lleisiau wedi treiddio i mewn i'w hystafell hi gan ei chadw ar ddihun tan berfeddion. Yna, ar ôl iddyn nhw fynd i'r gwely, roedd Rissole wedi penderfynu eistedd y tu allan i ddrws Mari gan chwyrnu'n uchel a chrafu'i ewinedd yn erbyn y drws bob nawr ac yn y man. Wedi hynny, fe gododd Mari gan feddwl nôl diod o ddŵr. Gwthiodd hi Rissole allan o'r ffordd ac aeth i'r gegin – a phwy oedd yno ond Cara'n bwyta siocledi. Gyda bocs mawr o siocled y byddai Mari'n ei chysuro ei hun ar adegau. Rhythodd Cara arni'n gas, a hyd yn oed wedi i'r ddwy fynd 'nôl i'r gwely, gallai Mari glywed ei chwaer yn troi a throsi am oesoedd. Ben bore wedyn, roedd Cara wedi ymddangos wrth y bwrdd brecwast yn edrych fel *Barbie* go iawn. Bob tro y byddai ei pherthynas hi a Tony'n dod i ben, byddai hi'n mynd allan o'i ffordd i drio edrych yn ddeniadol a phrofi iddo beth oedd e'n ei golli. Yn anffodus roedd hi'n plastro'r mêc-yp dros ei hwyneb gyda thrywel gan anghofio weithiau mai yn Llansant roedd hi'n byw ac nid yn Las Vegas.

'Haia! Ti'n iawn?'

Dechreuodd Mari a Gloria gerdded tuag at yr ysgol.

'Penwythnos dda?

'Paid â gofyn!'

'Sut aeth diwrnod cyntaf Graham? Unrhyw sôn am Gari?'

'A-ha!' Dechreuodd wyneb Mari fywiogi ychydig ac fe wthiodd y llenni o wallt tywyll hir oedd ganddi y tu ôl i'w chlustiau er mwyn i Gloria gael gweld y sioe oedd ar ei hwyneb yn well.

'Ma fe'n chware pêl-droed i'r dre, dyw e ddim yn byw ymhell iawn oddi wrthot ti a dwi'n mynd i drio'i gael e i ddod gyda Graham i ail-agoriad ein siop ni.'

Roedd Mari wedi anfon manylion y gystadleuaeth i'r ysgol gynradd leol ac roedd rhai lluniau wedi dechrau cyrraedd yn barod. Roedd yr enillydd yn mynd i gael sglodion am ddim am flwyddyn, felly roedd y wobr yn un gwerth ei chael. Roedd Philip, drws nesa, wedi bod draw yn gofyn a allai e gystadlu hefyd a bu'n rhaid i Mari esbonio mai i blant dan ddeg oed roedd y gystadleuaeth, nid rhai pedwar deg. Fe bwdodd wedyn gan ddweud ei bod hi'n *ageist*.

'Be wnes ti 'te?' gofynnodd Mari.

'Wel, aethon ni i'r theatr nos Wener – rhywbeth roedd Nigel eisiau ei weld – ac wedyn aethon ni i fowlio deg nos Sadwrn. Fi'n rybish, cofia.'

Roedd Mari'n methu chofio pryd wnaethon nhw rywbeth fel teulu. Yr unig beth oedden nhw'n wneud gyda'i gilydd oedd cwmpo mas. Cyrhaeddodd y ddwy yr ysgol.

'Cara a Tony wedi gorffen.'

'Eto!'

'Syrpreis, ontefe?'

'O na! Cyfnod arall o lefen y glaw a gwisgo gormod o golur 'te!' Roedd Gloria hefyd wedi deall Cara i'r dim.

'Iep.'

'Grêt!'

'Ti'n dod i ail-agoriad y siop, yn dwyt ti?' gofynnodd Mari.

'Odw g'lei!' Dacth llais o'r tu ôl i'r ddwy. Graham oedd yno a'i wallt yn dal yn wlyb ar ôl cawod.

'O haia Graham! Ti'n iawn?'

'Newydd glywed am dy ddiwrnod cynta di, Graham,' meddai Gloria.

'Hmmm, ie . . . ma gwaith dysgu 'da fi ond ma 'da fi athrawes dda.' Winciodd ar Mari.

'Ie, ie,' atebodd honno, 'ti jest isie i fi ofyn i Dad am fwy o gyflog i ti'n barod, yn dwyt ti?'

Chwarddodd y tri.

'Cofiwch am y parti diwedd tymor hefyd,' meddai Graham gan dynnu'i fag dros ei ysgwydd a chyd-gerdded gyda'r ddwy.

'O ie, parti Steve ife?' meddai Gloria gan gofio iddi glywed yn rhywle bod yna barti yn cael ei gynnal.

'Parti yn nhŷ Steve nos Wener ola'r tymor. Cyfle i ymlacio a mwynhau cyn y tymor nesa. TGAU i chi. Lefel A i ni. Grêt.'

'Fydd Gari'n mynd i'r parti?' gofynnodd Mari cyn iddi feddwl beth roedd hi'n ddweud.

'Siŵr o fod,' atebodd Graham. 'Reit . . .' meddai gan edrych ar ei wats, 'a siarad am Gari, rhaid i fi fynd i gwrdd ag e.'

Neidiodd calon Mari dim ond wrth glywed ei enw. Brysiodd Graham i ffwrdd a gwelodd Mari a Gloria Gari'n sefyll wrth wal y bloc gwyddoniaeth. Roedd e'n gwisgo *hoody* dros ei iwnifform ac yn edrych yn cŵl dros ben.

''Co fe'n dod!' meddai Mari gan gydio'n dynn ym mraich Gloria.

'Ma fe'n foi neis, on'd yw e?' Stopiodd Gloria ac edrych ar y ddau fachgen.

'Ma Gari'n gorjys! Y llyged glas 'na a'r dwylo siapus 'na . . . mei-god . . . dwi'n meddwl dy fod ti'n gallu gweud lot am fachgen wrth edrych ar ei ddwylo e . . .'

'Dim Gari . . . Graham,' cywirodd Gloria hi.

'O . . . odi . . . *I suppose* . . .' Edrychodd Mari ar Gloria am eiliad. 'Ond *hang on* . . . ti'n lico fe, yn dwyt ti?'

Gwridodd Gloria nes bod yna batshys coch dros ei hwyneb a'i gwddw i gyd. Doedd Mari erioed wedi ei gweld fel yna o'r blaen.

'Glors! Ti'n ffansïo Graham!'

'Nadw! Paid â siarad dwli.'

'Ti yn! Ti yn! Ti yn! O, ma hyn yn mynd i fod yn grêt . . . allwn ni fynd am ddêts fel pedwarawd . . . bydd e'n . . .'

'Gwranda! Ma'r gloch yn canu,' meddai Gloria. Roedd meddwl Mari'n dal i rasio.

'Ma'r parti 'na'n swnio'n hwyl,' dechreuodd Gloria eto gan geisio newid y pwnc.

'Ma'n rhaid i ni fynd i'r parti 'na, ond sut alla i? Ma pawb yn gas 'da fi gatre ar hyn o bryd . . . sdim gobeth da fi!'

'Wel . . . weden i, ar ôl clywed am dy benwythnos di, mai gore po gynta wyt ti'n dechre seboni.'

'O god!' ebychodd Mari. 'Bydd yn rhaid i fi hyd yn oed fod yn neis wrth Cara!'

Pennod 8

Yn ei hymdrech i blesio pawb a chael caniatâd i fynd i'r parti diwedd tymor, roedd Mari wedi bod yn gweithio bob nos ers wythnosau'n casglu lluniau'r plant ar gyfer y gystadlauaeth, yn peintio, yn glanhau ac yn twtio. Roedd hi a'i thad wedi bod yn y siop ddodrefn leol yn prynu cadeiriau newydd i fatsio'r lliw newydd ar y waliau, ac roedd yna gopïau o gylchgronau *Hello!* ac *OK!* ar y ford fach dwt yn y gornel. Roedd Mari hyd yn oed wedi ffonio'r papur lleol i roi gwybod iddyn nhw am yr ail-lansiad, ac yn gofyn iddyn nhw anfon ffotograffydd. Roedd ei thad yn sefyll wrth y cownter gyda'i sgŵp tships yn barod a Mari a Graham wedi agor y drws yn llawn cyffro. Ond, ddaeth neb! Ddaeth dim hyd yn oed un person ar gyfyl y siop, drwy'r nos! Erbyn hyn, roedd hi bron yn amser cau ac roedd Mari'n pwyso'i phen ar y cownter a Graham yn gwneud tŵr allan o'r ffyrcs tships pren wrth ei hochr.

'Sori, Dad,' meddai Mari.

'Paid â becso,' atebodd hwnnw gan droi'r sgŵp o gwmpas yn ei law.

'Sai'n gwbod beth aeth o'i le!'

‘Ma’r pethe ’ma’n digwydd . . . dim dy fai di yw e o gwbwl . . . ’nest ti bopeth allet ti.’

Roedd noson agoriadol y Tsieinîs newydd wedi gwneud mwy o wahaniaeth nag oedd yr un ohonyn nhw wedi’i ddychmygu. Roedd ganddyn nhw garped coch mawr yn ymestyn i mewn i ystafell aros grand a *prawn crackers* am ddim i bawb eu bwyta. Yn gynt yn y dydd, wrth lusgo Rissole am dro o gwmpas y pentref, roedd Mari hyd yn oed wedi gweld ffotograffydd y papur yno yn tynnu lluniau’r cwsmeriaid cyntaf, ac roedd hi’n adnabod nifer o’r wynebau hynny hefyd. Roedd Philip yn un ohonyn nhw, a’r pyrf o rif 47. Ma’n siŵr y byddai’n gofyn i ryw pŵr dab am *spring roll* mewn ffordd ych-a-fi nawr. I goroni’r cyfan, roedd y ceir oedd yn dod â chwsmeriaid i’r Tsieinîs yn parcio ar y palmant y tu allan i’r siop dships, ac fe allai Graham, Mari a’i thad weld pobl yn cario bagiau papur brown yn llawn danteithion heibio i ffenest y *Salt and Battery*. Chwythodd Graham ei dŵr ffyrcs i lawr cyn dechrau ei adeiladu eto.

Yn sydyn, agorodd drws y siop. Neidiodd tad Mari mewn braw.

‘Haia! O! ma hi’n edrych yn lyfli mewn fan hyn!’ meddai Gloria wrth gamu i’r siop.

‘Dim ond ti sy ’ma i weld popeth,’ meddai Mari’n bwdlyd. Roedd hi wedi benthyg bwrdd arbennig o’r neuadd ac wedi treulio noson gyfan yn creu arddangosfa o'r holl luniau a dderbyniwyd ar gyfer y gystadleuaeth. Roedd yna baentiadau, ac ambell i gollage, llun wedi'i wneud allan o ddarnau o wydr o lan y môr, llun arall wedi'i wneud o wymon wedi'i sychu ac un pysgodyn wedi'i wneud allan o ffyrcs pren y siop dships hefyd! Roedden nhw'n wych, chwarae teg, ond doedd neb yno i'w gweld a'u gwerthfawrogi!

'Na, wir nawr, ma'r siop yn edrych yn grêt. Amynedd sydd isie. Bydd pawb wedi cael llond bol ar y Tsieinîs cyn diwedd yr wythnos,' meddai Gloria.

'Ma nhw *yn* cael llond bol yn y Tsieinîs, dyna'r broblem!' meddai tad Mari. Roedd e bellach yn gwgu'n ddychrynllyd ar bawb a gerddai heibio i'r siop gyda chwdyn *China Kitchen* yn eu dwylo.

'O diar!' sibrydodd Gloria wrth Mari.

'Wel, paid â sefyll yn y drws yn edrych fel 'na 'te, Dad, neu ddaw neb i mewn wrth weld dy hen wep di!'

Roedd bysedd y cloc yn goglais traed y rhifau yn ara bach, bach, wrth basio heibio. Dechreuodd fwrw glaw. Sylwodd Mari bod Gloria'n gwenu ar Graham. Aeth Graham yn goch. Clywyd sŵn pryfyn arall yn cael *zap* gan y peiriant ar y wal. Yn sydyn, daeth sŵn corn car o'r tu allan. Edrychodd pawb i gyfeiriad y drws. Roedd yna gar tywyll, smart wedi arafu tu allan i'r siop.

'Gari!' gwaeddodd Graham gan godi'i law.

'Wedodd e falle bydde fe'n galw heibio! Ma fe wedi pasio'i brawf gyrru heddi!'

Gallai Mari weld siâp wyneb Gari yn y ffenest dywyll. Cochodd wrth feddwl sut yr edrychai yn y ffedog hyll a'r rhwyd wallt salw. Dyma Meic yn dechrau cynhyrfu.

'Ydyn nhw eisiau tships?'

Yn ara bach, gwelodd Mari ben bach arall yn y car hefyd . . . a llwyth o wallt hirfelyn . . . y ferch roedd Gari'n gwenu arni yn yr ysgol!

Suddodd calon Mari i'w thraed – roedd y noson hon yn troi'n hunllef! Gwnaeth Gari stumie ar Graham i ddweud y byddai'n ei ffonio'n nes ymlaen ac yna refiodd y car gan wneud i'r flonden chwerthin cyn sgrialu i ffwrdd. Edrychodd Gloria a Graham ar Mari. Ceisiodd hithau wneud ei gorau i edrych fel petai hi ddim yn poeni o gwbwl.

'Man a man i ni gau, g'lei! Gobeithio'ch bod chi i gyd bron â llwgu.'

Croesawodd Mari'r geiriau gan iddyn nhw dynnu sylw Gloria a Graham oddi arni hi. Gwthiodd Meic y drws ar gau gan wneud i'r gloch fach uwchben dincial.

'*Round one* i'r Tsieinîs!' meddai o dan ei wynt. 'Mae hon yn frwydr go iawn.'

Tynnodd Graham a Gloria'r seddi newydd i fyny at y cownter a dyma pawb yn casglu o gwmpas y ffriwr tra bod Meic yn estyn platiau o'r cefn ar gyfer y bwyd. Roedd yna lwythi o bopeth gan eu bod yn disgwyl llond lle o bobl. Fe fwytodd pawb yn awchus wrth i'r ceir oedd yn gyrru heibio i'r siop oleuo'r lle i gyd bob nawr ac yn y man. Fe adawodd Meic ymhen tipyn er mwyn mynd i nôl ei wraig o'r ganolfan hamdden a galw heibio i Cara a oedd wedi dod o hyd i ffrind arall i grio ar ei hysgwydd erbyn hyn – ffrind na châi fawr o sylw pan oedd Tony o gwmpas y lle.

Yn y diwedd, cynigiodd Graham gerdded adref gyda Gloria, gan ei fod yn mynd â phecyn o dships draw at ei dad-cu ar ei ffordd beth bynnag. Gwenodd Mari a wincio ar Gloria wrth iddi agor y drws iddynt a'u gwylio'n cerdded yng ngolau trydan oren y pentref tua glan yr afon. Arhosodd Mari yn y drws am rai eiliadau, yn gwylio eu cefnau'n diflannu i'r pellter gan feddwl am Gari a'r flonden, a'r ffordd roedd pethau fel petaen nhw'n newid drwy'r amser.

Pennod 8

Roedd Mari wedi cysgu'n hwyr ar ôl noson arall o droi a throsi oherwydd wban cyson Cara yn ei hystafell wely a sŵn ei thad yn gweithio ar gynlluniau newydd ar gyfer y frwydr Tsieinîs fawr hyd oriau mân y bore. Pan ddihunodd hi, doedd dim crys ysgol glân ganddi gan fod Mam wedi bod yn gweithio cymaint yn ddiweddar; roedd y llaeth yn y ffrij yn drewi ac roedd Rissole wedi piso yn ei hesgidiau ysgol! Bu'n rhaid iddi wisgo'i threinyrs (y rhai â'r tyllau ynddyn nhw) a rhedeg i'r ysgol nerth ei thraed. Fe gollodd y cofrestru'n gyfan gwbl a bu'n rhaid iddi fynd i egluro wrth yr ysgrifenyddes, oedd yn hynod amheus o'i hesgus ynglŷn â'i hesgidiau ysgol. Rhedodd wedyn ar ras i'r bloc gwyddoniaeth lle roedd pawb yn edrych arni wrth iddi gerdded i mewn. Doedd hi ddim hyd yn oed wedi cael amser i gribo'i gwallt, ac roedd yna sbotyn anferth fel côn parcio wedi codi ar ei thrwyn dros nos. Roedd Gloria wedi cadw sedd iddi ac aeth i eistedd yn ei hymyl gan drio peidio â gwneud ffws, ond llwyddodd i wneud yfflon o sŵn pan gwympodd ei bag a bu bron iddi faglu dros goes cadair rhywun cyn iddi eistedd i lawr. Yn y cyfamser, roedd Gloria'n cuddio'i hwyneb tu ôl i'w dwylo wrth i'r bechgyn chwerthin am ei phen.

Wedi setlo, ceisiodd Mari ei gorau glas i wrando ar Mr Evans yn siarad am y gwahanol ffyrdd y gallai goleuni deithio drwy wydr. Roedd gan yr athro fwstás bach tenau yn ymestyn dros ei wefus ucha fel cynrhonyn, a bob tro y byddai'n siarad fe fyddai ei fwstás yn neidio i fyny ac i lawr. Roedd Gloria'n ceisio cadw'n effro wrth binshio'i braich ei hun bob nawr ac yn y man, a Mari'n cyfrif sawl gwaith roedd Mr Evans yn dweud y gair 'goleuni' ym mhob brawddeg er mwyn ei rhwystro'i hun rhag cysgu a chwympo oddi ar ei chadair. Yna, sylwodd Mari fod Gloria'n ysgrifennu ar ddarn o bapur. Gwthiodd hwnnw ar draws y ddesg tuag at Mari.

'Ti'n cael mynd i'r parti?'

Roedd Mari'n hoffi meddwl ei bod hi'n realydd, felly roedd wedi wneud ei gorau glas i geisio anghofio'r cwbwl am y parti ac am Gari. Er i'w thad roi caniatâd iddi fynd – heb yn wybod iddo ef ei hun, bron, gan fod ei feddwl ymhell i ffwrdd y diwrnodau hyn – doedd Mari ddim yn siŵr a oedd hi eisiau mynd wedi'r cwbwl. Penderfynodd bod man a man iddi anghofio am Gari gan nad oedd ganddi wallt hir melyn, llygaid glas na choesau lan hyd at ei chlustiau. Roedd siâp ei chorff yn fwy tebyg i siâp wyneb cloc nag *hourglass*, ac roedd ei bronnau hi fel petaen nhw wedi dechrau datblygu, ac yna wedi mynd ar streic! Doedd dim pwynt meddwl am gystadlu â'r flonden siapus, felly fe fyddai'n rhaid iddi oddef gweld honno'n hofran o gwmpas Gari fel pryfyn. Byddai Gloria, mae'n siŵr, fel pla o gwmpas Graham yn y parti ac fe fyddai'n rhaid iddi hi, Mari, dreulio'r noson yn y gornel neu'n esgus ei bod hi'n mwynhau tra'n siarad â phobl doedd hi ddim hyd yn oed yn eu hadnabod go iawn. Roedd hynny bron â bod yn waeth nag eistedd ar ei phen ei hun.

Ysgrifennodd o dan nodyn Gloria, 'Sai'n gwbod,' a'i wthio'n ôl ar draws y ddesg. Ysgrifennodd Gloria unwaith eto tra bod Mari'n codi'i phen a gwenu ar Mr Evans mewn ymgais i'w sicrhau eu bod nhw'n gwrando. Daeth y darn papur yn ôl.

'PLLLLLLLLÎÎÎÎÎÎÎÎÎSSSSS!'

Roedd yna olwg apelgar yn llygaid Gloria. Sylweddolodd Mari nad oedd hi erioed wedi gofyn am ddim byd fel hyn o'r blaen. Ar ôl llusgo Gloria i'r salon harddwch yng nghanol y nos a'i chael i bob math o drwbwl dros y blynyddoedd, doedd dim llawer o ddewis gan Mari – roedd hi'n amser talu'r ddyled yn ôl.

'Iawn!' ysgrifennodd yn ara a gwthio'r papur yn ôl at Gloria. Goleuodd llygaid hithau wrth iddi ddarllen.

'Ofynnes i i Graham am Gari!' Roedd yna olwg ddrygionus arni erbyn hyn.

Aeth llygaid Mari yn fawr wrth ddarllen.

'Am beth?'

Roedd Gloria'n ysgrifennu yn boenus o araf.

'Ei gyfnither e yw'r flonden!'

Bu bron i Mari gwympo oddi ar ei chadair mewn sioc y tro hwn. Roedd yna obaith wedi'r cyfan! Roedd Mari wedi darllen y sefyllfa yn hollol anghywir. Daeth nodyn arall wrth Glors.

'Wedodd Graham bod Gari'n meddwl bo' ti'n ferch neis!'

Cochodd Mari. Ysgrifennodd o dan nodyn Gloria.

'Neis?'

'Ie! Neis!'

Pendronodd Mari am eiliad gan wylio Mr Evans yn dechrau arllwys dŵr i mewn i sgwaryn o blastig i arddangos effaith goleuni'n teithio trwy hwnnw. Beth oedd 'neis' yn ei olygu? Doedd Mari byth yn gwybod beth oedd bechgyn yn ei feddwl o gwbwl. Roedd ganddyn nhw rhyw iaith arbennig eu hunain. Wedi'r cyfan, roedd sane glân yn 'neis', roedd bybl bath yn 'neis' a bisgedi siocled yn 'neis'.

'Bydd raid mynd i siopa.' Daeth y nodyn yn ôl eto. Roedd Gloria'n iawn! Byddai'n rhaid ymdrechu i edrych yn ffantastig. Mynd i'r dref. Chwilio am dop newydd. Roedd Gloria'n ysgrifennu unwaith eto.

'Ond tro hyn . . . PLÎS anghofia'r ffêc-tan!'

Dechreuodd y ddwy chwerthin nes i Mr Evans arllwys golwg gas arnyn nhw fel bwceded o ddŵr oer.

Pennod 9

Roedd hwyliau Mari lawer yn well erbyn iddi gyrraedd adref. Roedd Gloria a hithau wedi creu rhyw fath o dabl ar gyfer adolygu, roedd Gari 'nôl ar y farchnad (er nad oedd e wedi gadael y farchnad yn y lle cyntaf mewn gwirionedd) ac roedd hyd yn oed y smotyn ar ei thrwyn yn edrych yn llai. Roedd Glors a hithau'n bwriadu mynd i siopa ddydd Sadwrn am dopiau newydd ac roedd ei thad yn chwibanu ac yn gweithio ar gynlluniau newydd ar gyfer y siop. Er ei fod yn mynd ar nerfau Mari pan oedd e'n meddwl am ei syniadau dwl, roedd hyd yn oed hynny'n well na'i weld yn cerdded o gwmpas y lle yn ddigalon a swrth. Cerddodd Mari drwy'r siop – roedd ei thad yno'n glanhau.

'Helô!'

'Haia Dad!'

'Gwna ffafr fach â fi – cer â Rissole am dro, 'nei di?'

Fel arfer, roedd Mari'n casáu clywed y frawddeg hon, ond gan ei fod mewn hwyliau go dda fe gytunodd.

'Iawn . . . ar ôl i fi newid fy nillad.'

Roedd Mari'n dringo stâr y fflat yn araf pan

welodd rywbeth blewog yn hofran ar y ris ucha. Neidiodd ei chalon cyn sylweddoli mai tedi-bêr anferth yn eistedd ar ben carden mewn amlen goch oedd yno.

Tynnodd Mari anadl hir, flinedig. Tony. Meddyliodd am guddio'r fflipin peth cyn i Cara ei weld, ond fe fyddai Tony'n siŵr o sôn amdano wrthi rywbryd ac fe fyddai Mari'n cael llond pen ganddi. Cododd Mari y tedi a'r garden ac agor y drws.

'Tony!' gwaeddodd Cara gan hedfan oddi ar y soffa a chipio'r tedi-bêr o ddwylo Mari.

Holltodd Cara'r amlen yn frysiog cyn rhedeg i mewn i'w hystafell wely a chau'r drws gyda chlep er mwyn darllen y neges. Roedd Rissole yn gorwedd ar y soffa yn edrych ar Mari trwy lygaid-hanner-cau ac yn rhechen yn dawel bach.

Roedd Mari wedi casáu Rissole y ci er pan oedd hi'n fabi, ac roedd e fel petai wedi mynd yn fwy slei o flwyddyn i flwyddyn. Ci oedd Rissole fyddai'n eistedd yn gariadus wrth eich ochr yn llyfu'ch dwylo ac yn gwneud i chi ddwlu arno fe. Y peth na fyddech chi fyth yn sylweddoli oedd ei fod wedi bod yn llyfu'i ben-ôl rai munudau cyn hynny. Pan oedd Mari'n iau, byddai e'n eistedd dan ei chadair uchel ac yn gollwng rhech ddrewllyd *Pedigree Chum*-aidd. Gwyddai na allai hi symud gan ei bod wedi ei chlymu yn y gadair. Byddai'r ci wedyn yn chwifio'i gynffon ac yn wafftio'r arogl i fyny am drwyn Mari. Pan fyddai Mari'n crio wedyn, byddai ei mam yn dod draw ac yn sniffian o'i hamgylch cyn ei dyfyrio am ddwyno ei napi mor aml! Byddai Rissole yn gwylio'r sioe o dan ford y gegin ac yn gwenu arni drwy ei ddannedd miniog.

Dros y blynyddoedd, aeth pethau o ddrwg i waeth. Byddai Rissole hyd yn oed yn llyfu'i brwsh dannedd bob tro y câi gyfle ac yn rhwbio'i flew gwyn a choch dros bob dilledyn du oedd yn ei wardrob – wel, ar lawr ei hystafell wely o leiaf! Yna, un ddiwrnod, fe gariodd bâr o'i nicyrs brwnt oedd ar lawr yr ystafell molchi yn ei geg i lawr y stâr ac i mewn i'r siop dships a'u gollwng o flaen ciw nos Wener! Yr hen Mr Tomos druan, oedd â'i olwg yn wael! Fe gododd hwnnw nhw oddi ar y llawr, gan feddwl ei fod wedi gollwng ei hances! Bu'n sychu ei drwyn ynddyn nhw am rai munudau cyn ei rhoi yn eu boced. Doedd gan Mari na neb arall y galon i ddweud wrtho fe am ei gamgymeriad. Er y dystiolaeth amlwg yma fod Rissole yn ei chasáu ac yn gwneud ei orau glas i sarnu ei bywyd mewn unrhyw ffordd y gallai, roedd ei thad yn dal i ddweud mai Mari oedd yn dychmygu'r cyfan a bod yr hen Rissole yn gi iawn yn y bôn.

Newidiodd Mari i'w hen ddillad gan gadw'i threinyrs am ei thraed. Cydiodd yn ei chot fawr ac ychydig o'r bagiau arogl blodau roedd ei mam yn eu cadw'n y gegin ar gyfer unrhyw ddamwain cyn clipio'r llinyn am ei goler. Agorodd Rissole ei lygaid bach cochlyd ac edrych arni'n slei.

Roedd yn rhaid cario Rissole i lawr y grisiau gan ei fod bron yn rhy dew i symud. Roedd e wedi dysgu pryd roedd ei thad yn cau'r siop am y nos a phryd fyddai yna ddigon o fwyd dros ben. Byddai'n eistedd ar y grisiau am ddeg o'r gloch y nos ac fe fyddai ei thad yn ddigon dwl i'w fwydo gydag unrhyw beth oedd dros ben wedi i'r cwsmeriaid adael. Dadl Mari oedd na fyddai'n rhaid iddi fynd ag e allan am dro mor aml heblaw ei fod e mor dew!

Llusgodd Mari Rissole allan drwy'r drws wrth i'w thad godi ei law arnyn nhw o'r tu ôl i'r cownter. Doedd Rissole ddim yn medru cerdded mewn llinell syth o gwbwl – cerddai ar draws llwybr Mari nes bod ei dennyn a'i choesau hi'n un dryswch mawr. Byddai'n rhaid i Mari stopio bob hanner canllath er mwyn dad-wneud y cwlwm oedd wrth ei thraed. Roedd hi'n siŵr ei fod e'n gwneud hynny ar bwrpas.

Roedd y pentre yn dawel, fel pob pentref ar nos Lun oer, a dechreuodd fwrw glaw mân. Dechreuodd Rissole stemio a chodai arogl sur o'i got i drwyn Mari. Cerddodd Mari ymlaen er y glaw gan feddwl am Gloria a Graham a Gari. Roedd hi'n rhyfedd meddwl am Gloria a Graham gyda'i gilydd. Roedd rhywbeth od am ddau ffrind yn dod at ei gilydd fel 'na. Aeth ton o ofn dros Mari wrth feddwl am y peth. Petaen nhw'n mynd allan gyda'i gilydd, fe fyddai pethau'n siŵr o newid rhyngddi hi a Gloria ac fe fyddai ganddi hi a Graham eu cyfrinachau a'u sibrydion eu hunain wedyn. Stopiodd Mari unwaith eto gan fod Rissole wedi mynnu cerdded yr ochr arall i bostyn lamp gan glymu'r tennyn o'i gwmpas.

Meddyliodd wedyn am eiriau Glors, 'mae e'n meddwl dy fod ti'n ferch neis'. Doedd Mari erioed wedi siarad gair gyda Gari o'r blaen, felly sut oedd e'n gwybod ei bod hi'n ferch neis? Neidiodd rhywbeth yn ei bola wrth feddwl am hyd yn oed siarad gydag e. Wrth gerdded ar hyd y stryd lwyd, ddiflas, fe adawodd i'w meddwl redeg yn wyllt. Meddyliodd amdani ei hun yn cyrraedd y parti diwedd tymor yn edrych yn ffantastig. Fe fyddai hi'n cerdded i mewn ac yn aros am eiliad wrth y drws . . . byddai'r miwsig yn tewi a phob pen yn troi i edrych arni ac fe fyddai hi'n medru gweld pobl yn sibrwd wrth ei gilydd yn gofyn beth oedd ei henw hi . . . a hi fyddai'r ferch fwyaf prydferth yn yr ystafell, a byddai Gari'n ei gweld hi o bell ac yn edrych arni . . . ac yn methu â thynnu ei lygaid oddi arni . . . ac fe fyddai hi'n gwenu arno ac yn cerdded ar draws yr ystafell tuag ato ac fe fyddai pob llygad yn yr ystafell yn ei dilyn hi . . . ac fe fyddai e'n rhoi ei wydryn i lawr ar fwrdd ac yn cerdded tuag ati hi'n araf bach ac wrth iddyn nhw gwrdd . . . fe fyddai'n sibrwd y geiriau . . .

Roedd Rissole eisiau gwneud pŵ. Roedd e wedi sefyll yn stond tua metr yn ôl a gosod ei ben-ôl ar y llawr a Mari wedi cerdded heibio iddo yn ei myfyrdod nes ei bod yn ei lusgo ar ei ben-ôl ar hyd y palmant. Safodd Mari'n llonydd ac ymbalfalu yn ei phoced am y cwdyn bach pinc godi 'busnes'.

'Pam na allet ti fod wedi aros nes ein bod ni yn y parc?' gofynnodd Mari i Rissole fel petai hi'n disgwyl iddo ateb. Arhosodd yno'n edrych ar Rissole wrth aros iddo orffen. Roedden nhw'n union ar bwys y ffordd fawr.

'Dere 'mlan!' meddai hi gan fownsio i fyny ac i lawr dipyn i gynhesu. Roedd hi'n bwrw'n waeth erbyn hyn a Mari'n dechrau gwlychu hyd ei chroen.

Cododd Rissole ei ben-ôl cyn i Mari wisgo cwdyn am ei llaw a chodi'r pŵ i fyny yn ei bysedd. Roedd e'n gynnes reit, heb fod yn annhebyg i'r lympiau roedd ei thad eisiau iddi eu blasu y bore hwnnw. Cododd gyfog ar Mari.

Yna, yn sydyn, daeth sŵn car o rywle. Roedd Mari'n canolbwyntio ar godi'r pŵ a chydio yn nhennyn Rissole ar yr un pryd rhag ofn iddo ddiflanu. Arafodd y car a chanu corn arni. Cododd Mari i edrych. Roedd rhywun yn codi llaw arni. Cododd hithau ei llaw yn ôl. Yna sylweddolodd pwy oedd yno. Gari! Roedd hi newydd wafo llond llaw o pŵ cynnes ato tra'n gwenu ar yr un pryd!

Refiodd Gari'r injan a gyrru i ffwrdd gan edrych yn syn arni.

'O-mei-god!'

Doedd Mari ddim yn gwybod beth i'w wneud nesa. Edrychodd Rissole i fyny fel petai'n crechwenu arni. Er y glaw, roedd bochau Mari'n llosgi'n goch.

'O-mei-god!'

Gwthiodd y bagaid pŵ i mewn i'w phoced yn frysiog a cherdded nerth ei thraed am adref.

'Ti'n hapus nawr?' gofynnodd hi wrth Rissole eto a'r dagrau'n dechrau pigo. 'Alli di ddim jest peidio sarnu 'mywyd i!'

Llusgodd Mari Rissole ar ei hôl a hwnnw fel petai'n reit bles ohono'i hunan. Yn wir, hwn oedd ei dric gorau eto. Agorodd Mari ddrws y siop.

'Wâc fach neis?' gofynnodd ei thad yn ddigon diniwed.

'Paid hyd yn oed â gofyn!' cyfarthodd Mari. 'Dwi'n casáu'r ci 'ma!' meddai eto, 'ac os wyt ti ise rhywbeth i'w ffrio, beth am ei ffrio fe?'

Cerddodd heibio i'w thad a Rissole yn hedfan ar ei hôl.

'Dw i'n credu bod rhywun wedi defnyddio'r syniad am *hot dogs* yn barod, cariad!' atebodd ei thad gan chwerthin ar ben ei jôc ei hun.

Agorodd Mari ddrws y fflat a gollwng tennyn Rissole ar unwaith cyn cerdded heibio i Townie a

Cara oedd yn snogio ar y soffa unwaith eto, yn amlwg yn ôl gyda'i gilydd. Doedden nhw ddim hyd yn oed wedi sylwi fod Mari wedi cerdded i mewn. Gwthiodd ddrws ei hystafell ar agor a thaflu'i hunan ar y gwely cyn gweiddi nerth ei phen i mewn i'w chlustog.

Pennod 10

Bore dydd Sadwrn, ac roedd Gloria wedi cerdded i dŷ Mari'n gynnar er mwyn dal y bws i'r dref.

'Dwi'n dal yn ffaelu credu bo ti wedi codi llond llaw o pŵ ato fe.'

'O paid!' meddai Mari gan guddio'i hwyneb â'i dwylo.

'O-mei-god,' meddai Gloria gan eistedd yn dawel.

'Wna'th Graham sôn o gwbl am y peth?'

Siglodd Gloria'i phen. 'Dim byd.'

'Ma fe'n siŵr o fod yn meddwl mod i off 'y mhen!'

'Na!' meddai Gloria cyn stopio a meddwl. 'Wel . . . falle . . . ond falle 'na'th e ddim gweld beth oedd 'da ti yn dy law!'

'Roedd e reit ar fy mhwys i, Glors . . . wedi arafu a phopeth . . . falle bod e hyd yn oed yn meddwl siarad â fi . . .'

Ceisiodd Gloria feddwl am rywbeth cysurlon i'w ddweud, ond fedrai hi ddim. Roedd Cara'n eistedd wrth y bwrdd hefyd yn tecstio Tony bob dwy eiliad ac yn chwerthin bob tro y byddai hi'n derbyn ateb ganddo. Byddai hi'n gweithio bob bore dydd

Sadwrn, flynyddoedd yn ôl, a byddai Mari wrth ei bodd yn mynd gyda hi i'r salon i helpu, ond roedd hynny cyn iddyn nhw dyfu i fyny a dechrau casáu ei gilydd. Doedd gan Cara ddim diddordeb yn Mari a Gloria, a daliodd ati i ddarllen cylchgrawn ac i chwarae gyda'i brecwast gan tecstio ar yr un pryd.

Roedd Mari wedi bod yn ailfeddwl unwaith eto ynglŷn â mynd i'r parti. Byddai hi'n methu hyd yn oed edrych ar Gari ar ôl y digwyddiad anffodus gyda Rissole y diwrnod o'r blaen, ond roedd Glors yn edrych ymlaen cymaint nes y byddai hi'n torri'i chalon os na fyddai Mari'n mynd gyda hi.

'Reit! Chi'n barod, ferched?' meddai mam Mari a oedd newydd ymddangos wrth y bwrdd brecwast ag allweddi'r hen gar yn ei llaw. 'Wel, doeddech chi ddim yn meddwl y bydden i'n colli'r "DSM", oeddech chi?'

'DSM?' gofynnodd Gloria yn ddryslyd.

'Diwrnod Siopa Mawr! Dwi wedi cymryd diwrnod bant er mwyn dod gyda chi!'

Rowliodd Mari ei llygaid. Roedd mynd i siopa yn un peth. Roedd mynd i siopa gyda'i mam yn brofiad hollol wahanol.

'Bydd e'n neis inni gal neud rhywbeth *girlie*, yn bydd e Gloria?'

Gwenodd Gloria trwy ei dannedd.

Roedd gan mam Mari gar bach lliw pys slwtsh gyda thrim mwstard. Bob tro y byddai hi'n dod i godi Mari o unrhyw le byddai Mari'n dweud wrthi am barcio rownd y gornel. Doedd ei mam byth yn gwrando wrth gwrs, a byddai'n mwynhau parcio reit o flaen Mari gan godi'i llaw arni allan drwy'r to haul. Mamau!

Erbyn iddyn nhw gyrraedd y dref, doedd Mari ddim yn siarad â'i mam ac wedi suddo mor ddwfn i mewn i'r sedd flaen nes, o'r tu allan, doedd hi ddim yn bosib dweud bod rhywun yno.

Roedd sawl peth yn poeni Mari am siopa gyda'i mam. Roedd Mam yn ceisio prynu bras a phethau merched i Gloria drwy'r amser, roedd hi'n twrio drwy bob basged bargen y gallai hi ei ffindio ac yn gwthio'i thrwyn yn agos iawn at bopeth gan fod ei llygaid hi'n ofnadwy o wael a hithau'n rhy falch i wisgo sbectol. Gwnaeth hi hyd yn oed drio arwyddo siec gyda *tampon* unwaith wedi iddi ei dynnu allan o'i bag gan feddwl mai beiro oedd e. Ond y peth mwyaf erchyll ac annheg oedd y ffaith ei bod hi un maint yn llai mewn dillad na Mari. Roedd hi felly'n medru siopa yn yr un siopau ac yn prynu dillad oedd yn llawer iawn yn rhy ifanc iddi. Yn wir, pan oedden nhw'n mynd allan gyda'i gilydd weithiau, roedden nhw'n gwisgo bron yn union yr un peth, ac i ychwanegu at yr embaras, byddai ei mam yn aml yn edrych yn well yn y dillad na Mari ei hun!

Roedd y dre'n brysur a'r siopwyr yn gwthio

heibio'i gilydd fel petai hi'n ddiwedd y byd. Roedd gan mam Mari ffordd arbennig o siopa. Byddai hi'n mynd drwy'r holl siopau fel trowynt yn y bore ac yna, ar ôl cael te sinsir amser cinio (roedd hi bob amser yn cario bagiau te gyda hi) byddai hi'n mynd 'nôl i wario'n y prynhawn. Roedd Mari wedi dod i gytundeb gyda'i thad y byddai'r arian y byddai hi fel arfer wedi'i ennill wrth weithio yn y siop dships am chwe nos Sadwrn yn cael mynd i dalu Cara'n ôl. Roedd e'n well ei hwyliau y diwrnodau yma. Roedd rhai o'i gwsmeriaid wedi dod 'nôl ar ôl trio'r Tsheinîs am gyfnod. Roedd hyn yn gadael swm bychan o arian ar ôl i brynu top newydd, a dyna i gyd.

Erbyn diwedd y prynhawn, roedd Mari bron â marw eisiau mynd adref. Roedd mam Mari wedi perswadio Gloria i brynu top hynod o liwgar, yn wahanol iawn i'r pethau du roedd hi fel arfer yn eu gwisgo. Roedd larwm y siop honno wedi canu gan fod ei mam wedi bod yn edrych ar y bras gyda Gloria ac yna wedi cerdded allan o'r siop heb sylwi fod yna rai wedi bachu ar ei bag llaw wrth iddi gerdded heibio gan achosi i'r merched tu ôl i'r cownter redeg ar eu holau fel *vice squad.* Roedd pob person arall yn y siop wedi chwerthin. Roedd Mam hefyd wedi perswadio Mari i drio top bach, bach, gan ei bod yn dweud bod ei dewis hi yn boring ac yn ddiflas. Wrth i Mari wneud hynny, roedd ei mam wedi dod o hyd i dop arall ac wedi dod â hwnnw i'r stafell newid gan agor y cyrtens fel bod pawb yn y siop wedi ei gweld yn ei dillad isaf! Yna, daeth yr embaras mwya. Ar ôl iddi agor y llenni a dangos Mari'n hanner noeth i bawb, dyma hi'n gweiddi ar dop ei llais:

'O diar! Sdim llawer lan top 'da ti o's e? Bydd raid inni fynd i weld Mrs Evans.'

Roedd hi wedyn wedi llusgo Mari a Gloria dan brotest i lawr rhyw stryd dywyll, dawel, i siop fach lychlyd yr olwg gyda dillad isa yn y ffenest.

Ar ôl gwthio'r drws ar agor, dyma rhyw hen fenyw fach â gwallt glas a thâp mesur o gwmpas ei gwddf yn dod i'r golwg.

'Alla i eich helpu chi, ferched?' gofynnodd honno gan godi'i haeliau a oedd wedi'u plycio o fewn blewyn i'w bywydau.

Pwyntiodd ei mam at fronnau Mari'n dawel.

'Mmm, rwy'n gweld,' atebodd hithau gan ddod amdani â'i dwylo oer a'r tâp mesur yn dynn ynddynt.

'Does neb yn well na Mrs Evans!' meddai Mam Mari gan ddechrau twrio mewn twmpath o fras am bris arbennig.

Cyn i Mari wybod yn iawn beth oedd yn digwydd, dyma Mrs Evans yn gafael ynddi a'i gorfodi i dynnu ei top er mwyn cael ei mesur. Yna, fe wthiodd hi i mewn i giwbicl sgwâr ac aeth i hela gwahanol fathau o fras o gwmpas y siop. Roedd hi'n gwthio'r rheini i mewn trwy'r llenni bob nawr ac yn y man a'u hongian ar fachyn ar y wal. Dechreuodd Gloria sbecian i mewn drwy ochr y llenni gan geisio bod mor dawel ac anweledig â phosib, rhag ofn i'r sylw gael ei droi ati hi. Roedd hithau'r un siâp â phensil a doedd hi ddim hyd yn oed wedi dechrau tyfu mewn unrhyw gyfeiriad eto.

Doedd Mari erioed wedi meddwl fod yna gymaint o amrywiaeth o ddyfeisiadau wedi'u creu i gadw'r ddau lwmpyn ar ei mynwes at ei gilydd. Rhai heb strapiau, rhai oedd yn eu gwthio nhw i fyny, rhai oedd yn eu gwthio nhw at ei gilydd, rhai oedd yn eu gwthio ar wahân, rhai â strapiau chlir, rhai yn lês i gyd, rhai yn sidan llyfn i wisgo dan ddillad tyn, rhai oedd yn plynjio i lefydd nad oedd hi'n gwybod oedd yn bodoli, a rhai hyd yn oed â gemau bach drostynt i gyd.

Ymhen hanner awr, roedd Mari'n dechrau mwynhau. Roedd y pentwr bras yn tyfu a'i hyder yn gwneud yr un peth. Erbyn y diwedd roedd hi'n sefyll o flaen gwydr gyda phen Gloria i weld y tu ôl iddi un ochr, a wyneb Mam yr ochr arall ac, yn wir, roedd yna siâp arni bellach – siâp go iawn, siâp bron cystal â Cara!

'Wel, 'ych chi wedi mwynhau?' gofynnodd Mam Mari wrth gerdded at y car yn nes ymlaen. Meddyliodd Mari a Cara am eiliad.

'Wel, mae e wedi bod yn agoriad llygad!' meddai Gloria gan wenu.

'Fel ma fe'n dweud yn yr hysbyseb bras, "*Hello boys!*"' meddai Mari gan gydio ym mraich Gloria a chwerthin.

Pennod 11

'Syth neu cyrls?' gofynnodd Mari.

'Gliter neu liw plaen?'

'Ti'n licio'r sgidie 'ma?' Doedd Gloria byth yn siŵr beth i'w roi gyda pha ddilledyn.

'Clustdlysau a neclas, neu ydy hynny'n ormod?'

'God! Ma bechgyn yn ei chael hi'n hawdd!' meddai Gloria, oedd yn ceisio peidio ag edrych yn hunan-ymwybodol yn ei thop lliwgar.

Twriodd Mari am ei thop newydd, yn barod, o'r diwedd, i'w wisgo. Roedd hi wedi bod yn hynod ofalus ac wedi ei guddio rhag ofn i'w thad, a Rissole, ei weld. Fyddai ei thad ddim yn hapus gan ei fod mor sgimpi, a byddai Rissole wedi rhwbio'i flew ynddo fe siŵr iawn. Roedd y bra pinc newydd amdani, ac ar ôl gwisgo'r top dros ei ben roedd hi'n edrych ac yn teimlo'n ffantastig. Roedd yr wythnos ddiwethaf wedi bod yn hunllef, a phob dydd yr un fath yn union. Codi, mynd i'r ysgol, ceisio gorffen y gwaith i gyd cyn hanner tymor ac edrych ymlaen at y parti. Yn nhŷ Steve roedd y parti'n cael ei gynnal. Doedd hynny ond rhyw gwarter awr o waith cerdded o'r siop dships, felly roedd Gloria wedi galw heibio i Mari er mwyn paratoi a cherdded draw. Allai Mari fyth meddwl am gyrraedd yno ar ei phen ei hun rhag ofn iddi weld Gari heb bac-yp gan Gloria.

Roedd Cara wedi mynd allan gyda Townie ac wedi cloi ei holl fêc-yp yn ei stafell wely. Ond doedd hi heb sylweddoli fod Mari wedi bod i mewn yn ei hystafell y noson gynt yn casglu popeth roedd hi eisiau ei fenthyg! Wrth iddi wneud, sylwodd Mari fod Cara wedi cuddio pacedi o greision yn ei bocs mêc-yp. Chwarddodd Mari, gan deimlo'n falch fod gan ei chwaer berffaith ryw gyfrinachau bach tywyll wedi'r cyfan!

Sylwodd Mari fod Gloria'n edrych yn llwyd. 'Ti'n ocê?' gofynnodd gan geisio rheoli'r cyrls ar ei phen.

'Mh-hm.'

Aeth hi'n dawel am eiliad. Stopiodd Mari chwarae gyda'i gwallt.

'Be sy'n bod? Graham?'

Nodiodd Mari

'Ti ddim yn siŵr a wyt ti'n 'i lico fe?'

'Na,' meddai Gloria gan ddechrau twrio'n ei bag. 'Sai wedi . . . ti'n gwybod . . .'

'O! Poeni wyt ti am snogio?'

Aeth Gloria yn batshys coch i gyd eto.

'Paid poeni am hynny nes i'r amser ddod . . . a neith e jest digwydd, addo.'

Roedd Mari'n ceisio ei chysuro er, mewn

gwirionedd, dim ond yr un profiad gyda'r bachgen o Ffrainc oedd ganddi hi, ac roedd hynny flynyddoedd yn ôl bellach.

'Ti'n iawn,' atebodd Gloria. Roedd Mari'n falch ei bod wedi llwyddo i berswadio rhywun, o leia.

'Reit, barod?' meddai Mari gan godi a chwilio am ei bag.

'Barod!'

* * *

Erbyn iddyn nhw gyrraedd y parti, roedd pethau'n eitha swnllyd yno. Roedd tŷ Steve rhwng y pentref a'r afon, heb fod ymhell o'r ysgol. Roedd ei fam a'i dad yn mynd i ffwrdd yn aml ac, yn ddiweddar, am ei fod yn ddwy ar bymtheg oed bellach, roedd e'n cael gwahodd bobl draw. Fedrai Mari fyth â dychmygu gwahodd ffrindiau 'nôl i'r fflat uwchben y siop dships. Roedd y tŷ hwn yn un eitha crand ac roedd nifer o ffrindiau roedd Mari a Gloria yn eu hadnabod o'r ysgol yno. Ceisiodd Mari beidio â gadael i'w llygaid chwilio am Gari eto. Heb yn wybod i'r naill na'r llall, roedd Gloria wedi penderfynu'r un peth ynglŷn â Graham. Edrychodd neb arnyn nhw wrth iddyn nhw ddod i mewn i'r stafell fyw, lle'r oedd y miwsig yn uchel. Edrychai rhai fel petaen nhw wedi bod yno ers sbel, ac eisoes wedi yfed gormod. Daeth Steve i'r golwg o gefn y tŷ.

'Haia chi!'

Gwenodd Mari arno.

'Hei, chi'n edrych yn grêt!'

Gwthiodd botel o ddiod yr un i'w dwylo cyn diflannu unwaith eto'n ôl i'r gegin. Penderfynodd Mari a Gloria fynd i eistedd ar y grisiau. Roedd hi'n boeth, ac roedd Gloria, nad oedd yn or-hoff o wisgo colur beth bynnag, yn teimlo'n chwyslyd. Aeth Mari i nôl dwy botel arall er mwyn oeri dipyn bach. Doedd dim sôn am Graham na Gari.

Wedi edrych ymlaen cymaint at y parti, roedd Gloria mewn hwyl dda, a Mari'n teimlo bod yna rymoedd anesboniadwy yn gweithio yn ei herbyn hi a Gari. Yfodd y ddwy botel arall yr un.

Doedd Mari byth yn yfed, ond roedd y stwff lliw oren yn blasu'n hyfryd ac roedd hi wedi ymlacio drwyddi gan anghofio rhywfaint am Gari erbyn tua deg o'r gloch.

'Ar ôl yr holl baratoi!' chwarddodd Mari.

'A'r fflipin bra 'na!' cytunodd Gloria.

Dechreuodd y ddwy chwerthin yn ddireolaeth.

'Falch clywed bod rhywun yn cael amser da 'ma!'

Edrychodd y ddwy i fyny.

'Gari!' meddai Mari.

'Graham!' meddai Gloria.

'Fe dorrodd y fflipin car lawr!' meddai Gari gan chwerthin. Roedd e'n gwisgo crys du ac yn rholio allweddi ei gar o gwmpas ei ddwylo llyfn, bendigedig. Sylweddolodd Mari ei bod hi'n edrych arno.

'Dere i fi gael ffeindio rhywbeth i ti yfed!' meddai Gloria. Edrychodd Mari arni'n syn. Doedd hi byth mor hyderus â hyn! Roedd hi'n hyderus gyda'i ffrindiau a'i theulu, ond doedd hi ddim yn debyg i'r Gloria a welodd Mari'n llawn pryderon cyn dod allan.

Eisteddodd Gari wrth ochr Mari ar y stâr.

'Methu yfed,' meddai yntau gan godi'i aeliau, 'gyrru!'

Nodiodd Mari gan geisio meddwl am rywbeth i'w ddweud wrtho. Cymerodd arni ei bod yn edrych ar y bobl oedd yn mynd heibio. Meddyliodd yn galetach ond roedd nerfau, a'r ddiod oren, wedi cymylu ei meddwl yn llwyr. Pam oedd rhaid i bethau fel hyn ddigwydd iddi drwy'r amser, meddyliodd, gan ddechrau tynnu'r label oddi ar y botel. Medrai siarad â Graham heb ddim problem. Roedd e'n fachgen hefyd, felly pam na allai hi siarad â Gari? Roedd gwres ei gorff wrth ei hochr yn gwneud iddi chwysu. Roedd e'n gwisgo *aftershave*.

'Dwym on'd yw hi?'

Nodiodd Mari gan deimlo'r gwres yn ei bochau. Agorodd drws y gegin a gwelodd Mari Gloria a Graham yn siarad yn dawel. Roedd ei phen bron yn pwyso ar ei ysgwydd.

‘Ma nhw’n dod ’mlan yn dda,’ meddai Mari, jest er mwyn cael rhywbeth i’w ddweud.

‘Mmmm,’ meddai Gari, ‘edrych fel ’ny!’

‘Edrych . . .’ cychwynnodd Mari, yn methu â dioddef mwy, ‘ti ise mynd mas rywbryd – ti a fi?’

Ar ôl i’r geiriau adael ei cheg, sylweddolodd beth oedd hi newydd ei ddweud.

Edrychodd Gari arni’n anghyfforddus.

‘O god . . . paid â phoeni os na wyt ti . . . o’n i jest yn meddwl falle y bydde fe’n neis . . . rywbryd . . . ti’n gwbod . . . ond falle rywbryd arall . . .’

Edrychodd Gari ar Graham a Gloria am eiliad cyn edrych yn ôl ar Mari.

‘Gwranda . . . ym . . . dwi’n meddwl dy fod ti’n ferch rili . . .’

‘“Neis” wyt ti’n mynd i ddweud nawr, ontefe?’

‘Ym . . . ie . . .’

‘Ond . . ?’ ychwanegodd Mari.

‘Ma pethe’n rili gymhleth ar hyn o bryd.’

Sylwodd Mari ei fod yn edrych ar Graham a Gloria eto.

‘Cymhleth?’ gofynnodd Mari eto gan godi’i haeliau.

Nodiodd Gari ei ben. Sylwodd Mari fod Gloria wedi cerdded oddi wrth Graham yn ddisymwyth a’i bod hi’n mynd i wisgo’i chot. Roedd golwg grac arni.

Teimlai Mari'n fach, fach, fach. Cododd ar ei thraed.

'Dwi ddim dy deip di, 'te?' Doedd gan Mari ddim syniad pam roedd hi hyd yn oed yn gofyn y cwestiwn, ond roedd hi'n daer eisiau gwybod y rheswm pam.

'Na . . . wel . . . ie . . . ym . . .'

Fedrai Mari ddim peidio â meddwl mai byw yn y lle anghywir yr oedd hi. Wedi'r cyfan, doedd ei chartref hi'n ddim byd tebyg i'r tŷ yma, nac yn debyg i dŷ Gari chwaith, gallai ddychmygu!

'Wel, allen ni fyth â mynd mas 'da rhywun sydd ddim yn gwbod beth yw *rissole* a *fishcakes* ta beth,' meddai Mari gan wisgo'i chot.

'Am beth wyt ti'n siarad?'

'Dim,' meddai Mari cyn rhedeg am y drws er mwyn dal i fyny gyda Gloria. Roedd honno'n cerdded am adref a'i phen i lawr.

'Glors? Glors! Ti'n iawn?'

Cariodd ei ffrind ymlaen i gerdded.

'Ydw, iawn! Wela i di'r w'snoth nesa, rywbryd.'

'Glors? Be sy'n bod?'

Gwyliodd Mari Gloria'n cerdded i ffwrdd yn gyflym a'i hesgidiau'n gwneud sŵn clip-clop ar y palmant. Sylwodd Mari fod yna rywun y tu ôl iddi. Graham.

'Be 'nes ti iddi?' gofynnodd Mari iddo'n swrth.

Edrychai hwnnw'n anghyfforddus.

'Dim!'

'Ti bownd o fod wedi gweud rhywbeth; ma hi dros y lle i gyd!'

''Nes i ddim byd!'

'Grêt!' meddai Mari gan ddechrau teimlo'n sâl. 'Grêt!' a dechreuodd gerdded am adref.

'Wela i di fory!' gwaeddodd Graham.

'Grêt!' meddai Mari unwaith eto, wedi anghofio'n llwyr y byddai'n rhaid iddi weithio ben bore.

Pennod 13

Doedd Gloria ddim yn ateb ei ffôn, a Mari'n teimlo fel clwtyn llestri ar ôl bod yn sâl drwy'r nos. Teimlai ei stumog fel petai wedi ei sandio ac roedd blas cas yn ei cheg. Roedd hi hyd yn oed yn drewi fel Rissole y ci ac fe benderfynodd Mari'r eiliad honno na fyddai hi byth yn yfed eto yn ei bywyd. O leiaf roedd ei phen tost yn ddigon gwael i dynnu ei sylw oddi ar embaras yr hyn roedd hi wedi'i ddweud wrth Gari. Roedd yr holl beth mor erchyll! Doedd hi jest ddim eisiau meddwl amdano. Roedd hi wedi brwsio'i dannedd bymtheg o weithiau ond roedd ei hanadl hi'n dal i ddrewi! Gwyddai y byddai Cara'n dihuno cyn hir ac yn dechrau poeri ei gwenwyn am iddi 'fenthyg' ei mêc-yp. Edrychodd Mari ar bethau Gloria oedd yn gorwedd ar hyd y lle. Penderfynodd fynd i lawr y grisiau cyn gynted â phosib. Roedd Graham yn aros y tu allan i'r siop yn barod. Daeth i mewn yn dawel. Chymerodd Mari fawr o sylw ohono ac fe benderfynodd fynd i dacluso'r stafell gefn er mwyn osgoi siarad ag ef am ei fod yn amlwg wedi ypsetio Gloria'n ofnadwy.

Roedd mwy o gwsmeriaid yn dechrau dod 'nôl i'r siop dships, ond roedd y Tsieinîs wedi haneru'r busnes gan fod pobl yn mynd am yn ail i'r naill a'r llall. Cynllun diweddaraf ei thad oedd cael gwahanol themâu ar wahanol nosweithiau. Roedd e wedi bod yn edrych ar wahanol ffyrdd o ffrio pysgod ar draws y byd ac wedi penderfynu cynnal nosweithiau fel 'Noson Roegaidd', gyda sgwid wedi'i ffrio, ac ati. Roedd Mari'n hynod amheus o'i syniadau, oherwydd roedd rhai o'r cwsmeriaid yn meddwl bod hyd yn oed sos cyrri yn rhy egsotic. Doedd hi ddim yn gweld marchnad anferth ar gyfer sgwid yn Llansant, ond roedd gweld ei thad yn gwneud ymdrech yn dangos ei fod yn barod am frwydr, o leiaf.

'Oes 'na ragor o ganiau *7up*?'

Daeth pen Graham i'r golwg o gwmpas y gornel.

'Oes,' atebodd Mari, gan estyn un iddo. Arhosodd Graham yno am eiliad.

'Ma angen dau arna i.'

Estynnodd Mari un arall iddo heb ddweud gair.

'Diolch.'

Erbyn diwedd ei shifft, roedd Mari wedi llwyddo i osgoi Graham bron yn gyfan gwbwl. Ei thacteg oedd mynd i weld Gloria'r noson honno a chael ei stori hi cyn siarad ag ef rhyw lawer.

Bellach, roedd hi bron yn amser cau'r siop ac roedd hi wedi dechrau tywyllu tu allan. Fel petai e wedi bod yn gweithio yno erioed, trodd Graham yr arwydd ar y drws a'i gau. Dechreuodd frwsio'r llawr tra bod Mari'n cyfri'r arian yn y til. Ond fedrai hi ddim cael y peth i falansio o gwbwl a dechreuodd ailgyfri. Synhwyrodd fod rhywun yn sefyll y tu ôl iddi. Trodd i edrych, a chyn iddi sylweddoli beth oedd yn digwydd, bron, teimlodd Graham yn ei chusanu'n frwd ar ei gwefusau. Neidiodd Mari a'i wthio'n galed am yn ôl gan fethu'n lân â chredu'r hyn oedd newydd ddigwdd.

'Graham! Beth yffach ti'n meddwl wyt ti'n neud?'

Roedd hwnnw'n dawnsio o un droed i'r llall.

'Sori . . . o'n i . . .'

'O't ti'n beth? . . O't ti'n fflipin beth? Ti'n craco 'mlan i Gloria, a phan dyw hi ddim yn fodlon, wedyn ti'n trio'r un peth gyda fi! O'n i'n meddwl dy fod ti'n ffrind i fi . . . O'n i'n meddwl dy fod ti'n foi iawn!'

''Nes i ddim craco 'mlan i Gloria Mari! Gweud wrthi mod i'n lico rhywun arall 'nes i. Hi oedd ar fy ôl i!'

Roedd gên Mari bron â chyffwrdd y llawr.

'Dwi ddim ise bod yn ffrind i ti, Mari. Wel, nid dim ond yn ffrind, ta beth.'

Roedd popeth yn troi o gwmpas Mari.

'Pam ti'n meddwl y des i i weithio fan hyn?'

'Beth?'

'Dyw pethe ddim mor wael â hynna adre . . . O'n i jest ise dod i dy nabod di'n well!'

'Ma dy dad yn dal i weithio yn *Kwikfit*?'

Nodiodd Graham ei ben.

Roedd popeth yn dechrau gwneud synnwyr i Mari nawr.

'Ond . . .'

Cusanodd Graham hi unwaith eto. Gwthiodd Mari ef i ffwrdd.

'Na!'

Roedd yna rhyw ofn yn llygaid Graham ac am y tro cyntaf erioed teimlodd Mari rhyw bŵer – pŵer dros deimlade rhywun arall. Doedd hi ddim yn siŵr a oedd hi'n hoffi'r teimlad o gwbwl.

'Na, plîs, cer.'

'Ond . . .'

'Edrych! Dwi'n dy weld di fel . . . fel . . . fel . . .'

'Fel beth?'

Tro Mari oedd hi i chwilio am eiriau fel oedd Gari wedi'i wneud neithiwr ar y grisiau.

'Ffrind, Graham . . . fel ffrind.'

Edrychodd Graham ar y llawr. 'Iawn. Ocê . . . fe af i 'te!'

Edrychodd Mari arno gan wybod ei bod wedi brifo'i deimladau.

'Ie . . . dwi'n credu mai 'na beth fydde ore!'

Tynnodd Graham ei ffedog, ei sgrwnshio i fyny a'i gadael ar y cownter cyn cydio yn ei got a rhuthro drwy'r drws. Canodd y gloch yn wyllt ar ei ôl.

Roedd Mari wedi blino, roedd hi newydd frifo

Graham a Gloria yn hollol anfwriadol, ac ar ben hynny i gyd roedd arogl gwres y ffriwr yn codi cyfog arni. Roedd Gari wedi ei gwrthod, a hithau wedi gwneud ffŵl ohoni'i hun o'i flaen – a nawr byddai'n rhaid iddi ddweud wrth Gloria bod Graham wedi ei chusanu. Tynnodd y rhwyd oddi ar ei phen yn flinedig a dechreuodd lefen gan lawio dagrau i lawr ar y cownter fformeica coch.

Pennod 14

Penderfynodd Mari beidio â mynd i weld Gloria am ychydig ddiwrnodau. Roedd pethau'n gymhleth a doedd hi ddim eisiau brifo mwy arni drwy ddweud neu wneud y pethau anghywir. Daeth Graham i weld ei thad i ddweud wrtho fe fod ganddo ormod o waith ar gyfer Lefel 'A' nawr ac na fyddai e'n medru gweithio yn siop rhagor. Roedd hwnnw wedi derbyn yr esgus heb feddwl dim, wrth gwrs. Teimlai Mari'n euog, ond roedd rhan ohoni hefyd yn teimlo'n falch oherwydd y byddai wedi bod yn ofnadwy gorfod gweithio gyda Graham ar ôl beth oedd wedi digwydd rhyngddynt. Roedd Mari wedi ei siomi hefyd, yn gyntaf gan y ffordd roedd Graham wedi cynllunio'r holl beth, fel petai hi'n rhyw brosiect iddo fe. Roedd hi'n grac â hi ei hunan hefyd am beidio â sylwi, ac am fod mor wael wrth ddarllen sefyllfaoedd drwy'r amser.

Yn waeth na hyn i gyd, wrth gwrs, oedd y ffaith fod Gari'n siŵr o fod yn gwybod y cyfan! Roedd Mari wedi bod yn meddwl am ei eiriau, 'mae pethau'n gymhleth'. Wel wrth gwrs eu bod nhw! Hyd yn oed petai e'n ei hoffi hi, fedrai e ddim gwneud unrhyw beth oherwydd roedd ei ffrind gorau'n ei hoffi hi hefyd! Dyna pam oedd e mor anghyfforddus yr adeg honno ar y grisiau. Ac am y pethau ddywedodd hi wrtho!

Teimlai'r gwyliau hanner tymor yn gyfnod hir. Roedd Cara yn y gwaith, ac er nad oedd y ddwy chwaer yn tynnu 'mlan, roedd hi'n gwmni i Mari. Roedd ei mam yn brysur yn gweithio hefyd gan fod pawb yn dechrau meddwl am ffitio i mewn i'w bicinis erbyn yr haf, a'i thad, fel arfer, yn y siop. Hon oedd yr wythnos ola o ryddid cyn dechrau astudio go iawn, a hithau'n sdyc yn y tŷ gyda chi drewllyd a dim ffrindiau. Doedd gan Mari ddim cynlluniau o gwbwl, a hyd yn oed wedyn, byddai'r ychydig rai oedd ar y gweill wedi eu canslo nawr oherwydd y sefyllfa gyda Gloria gan mai gyda Mari roedd hi wedi bwriadu gwneud popeth.

Am y tro cyntaf ers misoedd, dyma Mari'n penderfynu mynd i jogio o gwmpas y pentref. Roedd ganddi egni i'w sbario a dim byd gwell i'w wneud, ac fel roedd ei mam bob amser yn ei ddweud – ymarfer corff oedd y peth gorau un i glirio'r pen. Doedd hi ddim wedi bod yn rhedeg ers tro – dim ers i'r gwaith ysgol ddechrau trymhau – ond fe wisgodd ei hen dracsiwt a'r treiners tyllog a mentro allan. Penderfynodd fynd â Rissole gyda hi, nid o ddewis, ond fe fyddai'n rhaid iddi fynd ag e am dro rywbryd, felly byddai hyn yn lladd dau aderyn ag un ergyd. Hefyd, doedd Rissole ddim yn medru cerdded yn gyflym iawn, felly petai hi'n cael trafferth rhedeg, fe fyddai'r hen gi ffaeledig yn esgus da iawn dros arafu.

Gan ei bod hi'n wythnos hanner tymor, roedd y pentref yn weddol brysur. Roedd rhai plant yn reidio beiciau o gwmpas y pentref. Rhedodd Mari heibio i siop Spar a throi am y parc a'r afon. Roedd hi'n dechrau chwysu ac yn anadlu'n drwm. Fel arfer byddai'n gas ganddi feddwl fod rhywrai'n ei gweld yn rhedeg fel hyn, ond wedi digwyddiadau nos Wener, teimlai nad oedd rhyw lawer o falchder ganddi ar ôl beth bynnag. Dechreuodd deimlo dipyn yn well. Roedd ei hysgwyddau'n dechrau cwympo a'i thraed yn creu rhythm fel calon ar y palmant. Arferai redeg dipyn pan oedd hi'n iau, ond roedd hi wedi mynd yn rhy brysur, ac wedi anghofio pa mor bleserus y gallai'r peth fod. Sylweddolodd wrth wrando ar rythm cyson ei hesgidiau ei bod hi wedi anghofio gwneud llawer o bethau roedd hi'n arfer hoffi eu gwneud yn ddiweddar. Roedd gwaith ysgol, helpu yn y siop, poeni am ei thad a chweryla gyda Cara wedi mynd â'i holl egni.

Trodd y gornel am yr afon. Roedd Rissole yn chwysu erbyn hyn hefyd ac yn edrych fel petai'n difaru bwyta cymaint o fwyd sbâr ei thad. Yna, stopiodd yn stond. Yn y pellter, gwelodd rywbeth a wnaeth iddi deimlo'n sâl. Yno, ar stepen ddrws tŷ Gloria, roedd Gari'n sefyll yn wên i gyd. Roedd e'n cydio'n dynn yn Gloria ac roedd honno'n gwenu arno. Dyma fe'n ei chusanu hi ar ei boch cyn neidio i mewn i'w gar a gyrru i ffwrdd. Gwelodd Mari Gloria'n cau drws y tŷ. Roedd Rissole yn tynnu ar y tennyn yn llaw Mari, yn methu'n lân â deall pam fod ei feistres wedi aros. Dechreuodd Mari deimlo'n oer drosti. Safodd yno'n edrych ar dŷ ei ffrind am oesoedd cyn troi ar ei sawdl a cherdded am adref.

Roedd Gary a Gloria'n gweld ei gilydd tu ôl i'w chefn hi, felly. Doedd Gloria ddim hyd yn oed yn hoffi Gari, a mwy na thebyg yn gwneud hyn i frifo Mari am fod Graham yn ei hoffi hi. Dechreuodd Mari deimlo'n sâl a bu'n rhaid iddi aros eto ar lan yr afon i chwydu. Teimlai'n sâl y tu fewn i gyd. Gwenodd rhywun arni wrth iddo gerdded heibio.

'Ddylech chi ddim gwthio eich hun mor galed, *take it easy*!'

Ceisiodd Mari wenu arno.

Cerddodd yn araf am adref a'r poen yn ei hochr yn matshio'r un yng nghrombil ei stumog.

Pennod 15

Pan ddaeth Gloria draw i gasglu'r pethau roedd hi wedi eu gadael yng nghartref Mari noson y parti, fe aeth Mari allan o'r siop i'w hosgoi. Doedd hi heb siarad gair â hi ers y noson honno, ac er ei bod hi'n gwybod y byddai'n rhaid iddi wneud yn y diwedd, roedd hi'n ceisio osgoi'r peth fel y pla. Methai hi gysgu ar ôl gweld Gloria a Gari gyda'i gilydd, a theimlai'n gymaint o ffŵl o gofio'r ffordd roedd e wedi bod yn edrych ar Gloria yn y parti. Roedd yr holl beth mor amlwg. Gallai ddeall safbwynt Gari, ond Gloria? Prin y gallai ddychmygu fod ei ffrind mor gas – yn dial ar Mari am rywbeth nad oedd ganddi reolaeth arno. Y peth gwaethaf oedd fod Gloria'n esgus bod mor rhesymol ac mor gywir ym mhopeth roedd hi'n ei wneud.

Daeth cnoc ar ddrws ystafell Mari. Ei thad oedd yno, yn cario brechdan.

'Ga i ddod i mewn?'

Roedd e'n dal i wisgo'i ffedog felen. Nodiodd Mari ei phen. Rhoddodd ei thad y frechdan ar y gwely wrth ochr Mari.

'Be sy'n bod 'te?'

Doedd Mari ddim yn gwybod beth i'w ddweud.

'Dere 'mlan, achan,' meddai ei thad gan eistedd wrth ei hochr ar y gwely, 'dwi'n gwbod bod rhywbeth ddim yn iawn 'ma. Ma wep wedi bod arnot ti ers wythnos. Rwyt ti a Gloria fel petaech chi wedi'ch sticio gyda'ch gilydd gyda *Prit-stick* fel arfer. Beth sy wedi digwydd?'

Doedd Mari ddim eisiau dechrau siarad rhag ofn iddi ffaelu â stopio.

'Ma pethe wedi mynd bach yn lletchwith, 'na i gyd.'

'Ti a Gloria wedi cwmpo mas?'

'Naddo!'

'Naddo? Wel lle mae hi 'te? Ma hi'n hanner byw 'ma fel arfer.' Gwthiodd y frechdan tuag ati. Doedd dim eisiau bwyd arni. A dweud y gwir, doedd dim chwant bwyd wedi bod arni ers diwrnodau.

'Ni ddim wedi cwmpo mas, ond ma pethe jest wedi mynd 'bach yn gymhleth.'

'Gwranda – fi'n gwbod falle mod i'n hen foi gydag obsesiwn am ffrio pethe, ond dwi wedi bod o gwmpas ers sbel, a falle allen i dy helpu di!'

Doedd Mari ddim yn siŵr. Roedd rhannu problemau gwaith ysgol gyda'ch tad yn un peth, ond roedd rhannu pethe personol yn anodd.

'Dwi'n gwbod ein bod ni'n fisi o hyd a falle bod Cara yn ca'l dipyn o sylw achos bod hi'n . . . wel . . . yn . . . siwt alla i 'weud . . . *drama queen* . . . ond ry'n ni'n sylwi pan wyt ti'n mynd i dy gragen, Mari . . . ti byth mor isel â hyn fel arfer.'

A dyma Mari yn dechre siarad a llefen a siarad a llefen. Pwysodd ar ysgwydd ei thad rhag iddi iddi orfod edrych i'w wyneb wrth sôn am Gari a Graham. Wnaeth ei thad ddim yngan gair, dim ond gwrando a nodio bob nawr ac yn y man. Bu Mari'n siarad a siarad nes i'r stori gyfan ddod allan. Dyma'r tro cyntaf erioed iddi siarad fel hyn gyda'i thad. Yn wir, pan oedd hi'n blentyn, roedden nhw'n siarad drwy'r amser ac yn chwerthin gyda'i gilydd, ond roedd popeth wedi newid wrth iddi fynd yn hŷn. Roedd e'n mynd ar ei nerfau dipyn bach a hithau, siŵr o fod, yn mynd ar ei nerfau yntau ac roedden nhw wedi methu siarad – siarad go iawn – ers blynyddoedd. Roedd e'n beth rhyfedd, ond roedd Mari'n teimlo fod yn rhaid iddi ddysgu siarad â'i thad o'r newydd, fel oedolyn. Yn y gorffennol roedd ei phlentyndod nawr.

'Wel,' meddai Dad, 'tasen i yn dy le di, fe fydden i'n mynd i ffrio rhywbeth! Mae e wastad yn gwneud i fi deimlo'n well!'

Gwenodd Mari drwy ei dagrau.

'Na, o ddifri nawr, ma'n rhaid i chi siarad yn onest gyda'ch gilydd neu fe eith yr hen beth 'ma 'mlan a 'mlan nes ei bod hi'n rhy hwyr. Does neb ar fai mewn gwirionedd, a dyw bechgyn, na dynion, ddim gwerth cweryla amdanyn nhw.' Rhoddodd Dad gusan ar ei phen.

Roedd e'n iawn, wrth gwrs, ond roedd y syniad o fynd i weld Gloria yn gwneud i Mari deimlo'n nerfus ac yn sâl ar yr un pryd. Methai â chredu fod y syniad o fynd i weld ei ffrind gorau'n gallu corddi'r fath deimladau cryf. O'r blaen roedd hi'n gweld Gloria bob dydd, bob awr bron, ond roedd ei gweld hi nawr yn gwneud i Mari deimlo'n rhyfedd. Roedd popeth wedi newid. Roedd Mari'n gobeithio y byddai yna esboniad i bopeth, ond ar ddiwedd y dydd, roedd hi'n gwybod yn ei chalon fod hynny'n annhebygol. Aeth ei thad at ei waith a gorweddodd Mari ar y gwely am oriau yn edrych ar y corynnod yn y corneli ac ar yr hen baent melyn diflas ar y walydd. Clywodd hi Cara'n cyrraedd adref a llais isel Townie a hithau'n siarad yn y stafell fyw. Yna, fe aeth hi'n gwympo mas gwyllt rhyngddyn nhw a chlywodd Mari'r drws yn cau gyda chlep unwaith eto a Cara'n dechrau llefen cyn rhedeg i mewn i'w hystafell hithau.

'Dydyn nhw ddim gwerth yr holl ffwdan!' meddyliodd Mari wrth ddechrau bwyta'r frechdan a mynd i gysgu dipyn yn ysgafnach ei chalon o fod wedi penderfynu beth oedd hi'n mynd i'w wneud.

Pennod 16

Cnociodd Mari ar y drws. Clywodd sŵn traed a theimlodd wasgfa yn ei stumog. Daeth Chris i ateb y drws.

'O haia, Mari, cariad! Ti'n ocê? O, ti wedi dod â Rissole i'n gweld ni!'

Roedd Mari wedi dod â'r hen gi am ei bod hi eisiau cwmni'n fwy na dim, ac roedd cael ei bresenoldeb e'n rhyw fath o fac-yp o leiaf.

'Ydy Gloria i mewn?'

Roedd rhyw olwg ddryslyd ar wyneb Chris, fel petai'n ceisio cofio a ddylai ddweud wrth Mari a oedd Gloria i mewn ai peidio.

'Ydy, ma hi yn ei stafell, cer lan.' Daeth Nigel o rywle a chodi llaw arni cyn diflannu'n ôl i'w stydi.

Camodd Mari i mewn i'r cyntedd anferth a rhoi Rissole i lawr ar y teils gwyn perffaith. Gorweddodd yntau fel hen sach ar y teils; tynnodd anadl hir a setlo i lawr i gysgu. Roedd e'n amlwg yn meddwl y byddai yno am sbel go hir.

Dringodd Mari'r grisiau. Roedd Gloria'n siŵr o fod wedi clywed ei llais o dop y grisiau. Bob tro y byddai hi'n galw fel arfer byddai hi'n rhedeg ar y landin i'w chyfarch. Ddaeth neb i'r golwg y tro hwn. Cerddodd Mari at ddrws ystafell Gloria â'i chalon yn ei gwddf. Cnociodd ar y drws cyn ei wthio ar agor. Roedd Gloria'n eistedd ar ei gwely.

'Haia,' meddai Mari.

Edrychodd Gloria arni. 'Haia.'

Edrychodd y ddwy ar ei gilydd fel petaen nhw erioed wedi gweld ei gilydd o'r blaen.

'Ti ise eistedd?'

Roedd y lle'n edrych yn ddieithr i Mari, er ei bod wedi bod yma gant a mil o weithiau o'r blaen. Eisteddodd yn ofalus ar y gadair wrth ddesg Gloria.

'Doeddet ti ddim gartre pan ddes i i nôl 'yn stwff i,' mentrodd Gloria.

'Na.'

'Ti ddim wedi ffonio chwaith.'

'Ffonies i ar ôl y parti, ond doeddet ti ddim yn ateb!'

Aeth y cyfan yn dawel reit. Edrychodd Mari drwy'r ffenest a sylwi fod yna lif cyflym yn yr afon.

'Edrych! Fe gusanodd Graham fi. Wnes i ddim byd i'w dynnu e 'mlan na rhoi gobeth iddo fe. Ma fe wedi gadel y siop nawr. Wedes i wrtho fe bod dim diddordeb 'da fi, a fydda i ddim yn 'i weld e eto!' Teimlai Mari lai o bwysau ar ei stumog wedi cyfaddef cymaint â hynny. 'Dwi'n gwbod falle nad wyt ti ise clywed 'na, ond dyna yw'r gwir. Wedi'r cwbwl, dyna beth ma ffrindie fod i'w wneud – dweud y gwir wrth ei gilydd.'

Sylwodd Mari fod Gloria'n edrych ar y llawr. Roedd yr holl sefyllfa mor chwithig, rhywsut.

Roedd Mari wedi disgwyl mwy o ymateb. Roedd hi newydd ddweud wrth Gloria fod y bachan oedd hi'n ei ffansïo yn ffansïo ei ffrind gorau!

'Dwi ddim yn poeni am Graham,' meddai Gloria'n sydyn.

'Nac wyt, 'ynta,' meddai Mari o dan ei hanadl.

'Beth?'

'Dim.'

'Dwi ddim yn poeni am Graham. Ro'n i'n 'i lico fe, ma'n rhaid i fi ddweud – ma fe'n foi neis! Ti'n lwcus bod boi felna'n dy lico di!'

'Ond dwi ddim yn 'i lico fe, Glors, ti'n gwbod 'na!'

Distewodd Mari am eiliad yn aros am gyfaddefiad Gloria, ond trodd yr eiliadau'n funudau.

'Fel dwedes i,' dechreuodd Mari eto, 'ma ffrindiau'n gweud y gwir wrth ei gilydd, waeth pa mor boenus yw hynny!'

Cododd yr hen batshys coch yna ar hyd gwddf Gloria unwaith eto. Roedd hi'n amlwg dan deimlad. Roedd Mari jest eisiau clywed y geiriau. Heb hynny, doedd dim modd symud ymlaen.

Arhosodd Mari am y cyfaddefiad.

'Does gyda ti ddim byd i'w 'weud te?'

Siglodd Gloria ei phen. Roedd Mari'n dechrau cynhyrfu. Methai gredu fod Gloria'n medru taflu blynyddoedd o gyfeillgarwch i ffwrdd dros un bachgen. Dros rhyw gyfaddefiad twp. Cododd ar ei thraed yn ei thymer.

'Dwi'n gwbod y cyfan, Gloria! Weles i chi.'

Cerddodd o amgylch yr ystafell yn gyflym. Cochodd Gloria at ei chlustiau.

'Weles i fe'n rhoi cusan ar dy foch di ar y stepen drws! Ro'n i'n jogian ar y pryd. Fe ddylet ti fod wedi dweud wrtha i. Fe wnes i gyfadde'r cwbwl, ond fedri di ddim bod yn onest gyda fi.'

'Ti ddim yn deall . . .'

'Ddim yn deall?' Torrodd Mari ar ei thraws. 'Weda i wrthot ti beth dwi ddim yn ei ddeall: y ffaith fod fy ffrind gorau'n mynd gyda'r un bachan mae ei ffrind gorau hi'n dwlu amdano fe jest achos ei bod hi'n ffaelu cael y bachan ma hi ei eisiau!'

'Beth?!'

'Ti'n ffaelu ca'l Graham, felly rwyt ti'n dial arna i gyda Gari!'

''Na beth wyt ti'n feddwl?'

'Wel, 'na siwt ma pethe'n edrych o lle dwi'n sefyll!'

Tawelwch eto.

'Wel?' gofynnodd Mari.

Trodd Gloria ei chefn ati. 'Sdim rhaid i fi esbonio'n hunan i ti! Well i ti fynd.'

'Iawn!'

Roedd Mari'n methu symud cam o'r fan. Ar un llaw roedd hi eisiau rhedeg o'r tŷ a pheidio â gweld Gloria fyth eto. Ar y llaw arall, roedd yr holl beth mor afreal. Roedden nhw wedi bod yn ffrindiau ers pan oedden nhw'n fabis bach. Roedden nhw wedi rhannu popeth erioed, ac o fewn wythnos – un wythnos fer – roedd y cyfan ar ben. Yr holl sbort, yr amseroedd da, y chwerthin a'r llefen. Weithiau, fel pob ffrindiau, roedden nhw cweryla – ond byth fel hyn. BYTH fel hyn.

'Ti'n dal 'ma?' gofynnodd Gloria gan godi un ael.

'Paid â becso,' atebodd Mari, 'dwi'n mynd nawr!'

Caeodd y drws yn glep ar ei hôl wrth i sŵn llefen Gloria ei dilyn yr holl ffordd i lawr y stâr. Safai Nigel a Chris yno'n disgwyl amdani.

'Popeth yn iawn?' gofynnodd Nigel yn magu cwpaned o de.

'Ti'n aros i swper?' gofynnodd Chris. Sylwodd Mari fod Rissole wedi cael llond powlen o fwyd tra oedd hi i fyny'r grisiau ac roedd Chris hyd yn oed wedi cribo blew ei ben i siâp mohican!

'Na! Well i fi fynd, diolch.'

Cerddodd Mari o'r tŷ'n benderfynol na fyddai hi'n llefen nes ei bod hi ymhell allan o olwg ffenest Gloria. Llwyddodd i droi'r gornel cyn dechrau beichio crio.

Pennod 17

Yn ôl yn yr ysgol, roedd gan Mari dri pherson i'w hosgoi erbyn hyn – Gari, Graham a Gloria. Yn anffodus, Gloria oedd y mwyaf anodd am eu bod ill dwy, fel ffrindiau, wastad yn eistedd wrth ochr ei gilydd a hefyd yn cydweithio ar brosiectau bob tro roedd angen. Roedd pawb felly yn sylwi eu bod yn eistedd ar wahân ac roedd yna sibrydion o bob math yn mynd o gwmpas yr ysgol yn ceisio esbonio beth oedd wedi mynd o'i le rhyngddynt. Pan oedd rhaid iddyn nhw weithio gyda'i gilydd, byddent yn cario ymlaen gyda'r gwaith heb yngan gair. Amser cinio, byddai Mari'n eistedd gyda rhai o'r merched hoci a byddai Gloria gyda'r merched pêl-fasged. Dyna'r unig bethau nad oedden nhw'n eu gwneud gyda'i gilydd. Bob tro y byddai Mari'n gweld Graham neu Gari byddai hi'n cerdded i'r cyfeiriad arall, ond gan eu bod nhw yn y chweched dosbarth beth bynnag, roedden nhw ychydig yn haws eu hosgoi.

Aeth wythnos neu ddwy heibio. Erbyn hynny, doedd gan Mari ddim i'w wneud ond mynd i'r ysgol, adolygu, cadw allan o ffordd Cara am ei bod hithau a Townie'n cael patshyn drwg arall, a gweithio yn y siop. Ond roedd rhywbeth yn ei phoeni. Doedd pethau ddim cweit gymaint o hwyl ag oedden nhw'n arfer bod. Petai hi ond yn fodlon cyfaddef hynny, roedd Mari'n gweld eisiau Gloria'n ofnadwy. Ar ddiwedd y dydd nawr, roedd hi'n cerdded adref ar ei phen ei hun, er mwyn adolygu ar ei phen ei hun.

Canodd y gloch. Diwrnod arall ar ben. Cerddai Mari'n araf tuag adref a'i phen yn llawn o bob math o feddyliau. Ar ben popeth, roedd yr arholiadau'n dechrau gwasgu a doedd ganddi ddim syniad sut oedd hi'n mynd i ddygymod â'r gwaith heb gefnogaeth Gloria. Agorodd ddrws y siop â'i hallwedd. Roedd ei thad wedi mynd i brynu stoc ar gyfer 'Noson Indiaidd' a dechreuodd Mari ddringo'r stâr yn araf. Stopiodd yn stond. Deuai sŵn lleisiau'n cweryla o'r ystafell fyw.

'Ry'n ni wedi gorffen am byth y tro 'ma!' Llais Townie.

Dechreuodd Cara grio unwaith eto. 'Ond ma' pethe'n mynd mor dda!' ymbiliodd.

'Ti ddim beth dwi ise rhagor, Cara, ti *not up to scratch*! Ti'n mynd 'bach yn dew 'fyd!'

Neidiodd calon Mari a theimlodd y dymer ryfedda'n berwi yn ei brest.

'Fydd neb arall dy ise di . . . edrych arnat ti . . .'

Tawelodd Cara. Roedd hi'n amlwg wedi ei brifo.

'Does neb yn mynd i edrych ddwywaith arnat ti . . .' Roedd ei lais yn fwy bygythiol y tro yma.

Fflachiodd tymer Mari a gwthiodd hi'r drws ar agor â rhyw nerth anghyffredin.

Roedd Tony â'i wyneb yn dynn yn wyneb Cara. Synhwyrodd y ddau bresenoldeb arall yn yr ystafell.

'Hei, paid â llefen *babe* . . . Weithiwn ni bopeth mas,' meddai Tony'n sydyn gan wenu ar Mari.

'Cer mas o fan hyn,' meddai Mari'n dawel.

'Beth?' gofynnodd Tony yn anghrediniol.

'Cer mas,' gwaeddodd Mari y tro hwn. 'Glywest ti y tro cynta.'

Edrychodd Cara arni'n syn.

'Www, dwi'n becso nawr,' meddai Tony.

'Cer mas, y bwli pathetig fel ag wyt ti! Dwyt ti ddim yn haeddu llyfu traed Cara. Nawr cer mas a paid â dangos dy wyneb salw rownd ffor hyn fyth eto, ti'n clywed?'

Doedd Townie'n amlwg ddim yn gwybod beth i'w wneud na'i ddweud. Cydiodd yn ei got a cherdded i gyfeiriad y drws. Edrychodd Cara a Mari ar ei gilydd. Gwrandawodd y ddwy arno'n swagro i lawr y grisiau. Caeodd Mari'r drws ar ei ôl gyda chlep cyn troi i edrych ar ei chwaer fawr.

'Diolch,' meddai Cara'n dawel.

Eisteddodd Mari wrth ei hochr gan roi ei braich amdani.

‘Chaiff neb fyth siarad â ti fel ’na ’to, ti’n deall?’ meddai Mari’n gadarn.

Nodiodd Cara ei phen. Bu’r ddwy’n dawel am rai munudau, yn rhannol oherwydd y sioc ac yn rhannol oherwydd nad oedd gan Mari syniad beth ar y ddaear i’w ddweud nesaf.

‘Ti’n gryf, ti’n gweld, Mari. Dwi wastad yn meddwl y licien i fod yn fwy tebyg i ti.’

Roedd y geiriau hyn yn ddigon i lorio Mari’n llwyr a dechreuodd hithau grio wrth iddi ddal Cara’n dynn.

Pennod 18

Yn ôl bob tebyg, roedd Townie wedi bod yn bwlio Cara ers misoedd. Byddai'n dweud pethau cas wrthi ac yn ei thynnu i lawr. Roedd hi wedi bod yn ceisio colli pwysau hefyd ac fe ddaeth i'r amlwg ei bod hi'n gwneud ei hun yn sâl ar ôl bwyta. Esboniodd ei mam wrth Mari bod yr arwyddion i gyd yno – cuddio bwyd, a bwyta llwyth o siocledi a chreision ar yr un pryd ac ar amseroedd od. Erbyn edrych yn ôl, roedd Cara yn tueddu i osgoi prydau bwyd ac yn gwthio'r bwyd o gwmpas ei phlât pan fyddai hi'n 'bwyta'. Gallai iselder ysbryd a phroblemau bwyta effeithio ar y bobl mwyaf annhebygol, eglurodd ei mam ymhellach. Roedden nhw'n aml yn ymddangos mor hunanhyderus, mor alluog – ac eto, o dan yr wyneb, roedd pethau'n gwbwl wahanol.

Eisteddai Mari a'i mam wrth fwrdd y gegin yn siarad am y peth pan ddaeth Cara a'i thad adref ar ôl bod yn gweld y doctor. Roedd hi'n gorfod mynd yn aml y diwrnodau yma i siarad am bethau gydag arbenigwr. Sylwodd Mari nad oedd ganddi fymryn o fêc-yp ar ei hwyneb. Y syndod oedd fod Cara'n edrych hyd yn oed yn brydferthach hebddo. Daeth i eistedd wrth y bwrdd. Gwnaeth ei thad debotaid o de – nid te sinsir y tro hwn, ond te go iawn – ac eisteddodd pawb wrth y bwrdd. Sylweddolodd Mari mai dyma'r tro cynta iddyn nhw wneud hynny ers misoedd – blynyddoedd hyd yn oed. Roedd ei mam wastad yn gweithio a'i thad yn brysur, a Mari yng nghanol hyn a'r llall. Daeth Rissolc o'r cornel ac eistedd yn un fflop mawr dan y ford.

'Peidiwch â phoeni,' meddai Cara, 'fydda i'n iawn.'

'Ond bydd angen cefnogaeth arnat ti,' meddai ei thad gan gydio'n ei llaw, 'dim gor-wneud pethau nawr ar y dechre.'

'Dwi'n mynd i dorri fy orie inne'n ôl hefyd,' meddai Mam, ac edrychodd Mari a Cara arni'n syn. Doedd y ddwy erioed wedi meddwl y bydden nhw'n clywed y fath eiriau'n dod o'i genau hi.

'Ie, fi'n gwbod!' meddai hi wrth sylwi fod llygaid pawb arni. 'Ond y teulu yw'r peth pwysica. Dwi'n credu ein bod ni wedi anghofio hynny'n ddiweddar.'

Yn y gwely y noson honno, meddyliodd Mari am eiriau ei mam. Roedd ei rhieni'n cysgu'n sownd a Cara'n gwneud yr un peth am y tro cyntaf ers misoedd. Doedd hi ddim hyd yn oed yn troi a throsi fel arfer. Roedd ei mam yn iawn – teulu oedd yn bwysig – ond y broblem oedd bod Gloria hefyd fel un o'r teulu i Mari. Roedd hi'n rhan o Mari ac yn rhan ohonyn nhw fel teulu. Roedd sefyllfa Cara'n gwneud i sefyllfaoedd fel yr un rhyngddi hi a Gloria ymddangos mor ddibwys. Roedd bywyd yn rhy fyr. Ymhen ychydig, aeth Mari'n ôl i gysgu gan fwynhau'r cwsg mwyaf esmwyth roedd hi wedi'i gael ers wythnosau.

* * *

Cnociodd Mari ar y drws. Daeth Chris i'w ateb unwaith eto.

'Haia cariad, ti'n ocê?'

'Ydw diolch!'

'Dim Rissole heddi?'

'Dim heddi.'

'O!' Roedd y siom yn amlwg ar ei wyneb.

'Ydy Gloria i mewn?'

Roedd yr olwg ryfedd yna ar ei wyneb unwaith eto.

'Ymmmm, ody, lan stâr, ti'n gwbod ble ma mynd.'

Agorodd Chris y drws led y pen a chamodd Mari i mewn. Daeth Nigel o rywle unwaith eto a wincio ar Mari.

Dechreuodd Mari ddringo'r grisiau gan gofio am ei hymweliad erchyll diwetha â'r tŷ. Treiddiodd rhyw oerfel i lawr ei chefn wrth feddwl am y peth. Y tro hwn, daeth sŵn drws yn agor a rhywun yn cerdded ar draws y landin. Daeth Gloria i'r golwg. Edrychai'n ansicr.

'Haia,' meddai Mari.

'O . . . ymmm . . . haia . . .' Roedd yna olwg wyllt arni.

'Gwranda, dwi am i ni anghofio popeth sy wedi digwydd,' cychwynnodd Mari. 'Ma'r gorffennol yn y gorffennol! Plîs allwn ni anghofio'r holl beth?'

Yn sydyn dyma ffigwr arall yn dod i'r golwg. Gari!

Edrychodd Gloria ar Mari am eiliad mewn panig.

'O . . .' cychwynnodd Mari, 'wela i. Ti'n fisi. Fe wna i ddod 'nôl yn nes 'mlan.'

Trodd ar ei sawdl a cherdded yn gyflym i lawr y grisiau. Rhedodd Gloria a Gari ar ei hôl. Roedd Chris a Nigel yn dal yn y cyntedd yn barod i wylio'r sioe.

'Mari!' roedd llais Gloria'n neidio lan a lawr wrth iddi redeg i lawr y grisiau. 'Mari! Aros!'

Stopiodd Mari a throi i edrych arni.

'Sori! Fi oedd yn ddwl,' eglurodd Mari. 'Feddylies i am eiliad fan'na falle dy fod ti'n teimlo mor wael â fi am yr holl beth a falle y byddet ti eisiau rhoi'r cyfan y tu ôl i ni. Ond mae'n amlwg nad wyt ti ddim yn gweld fy isie i o gwbwl . . .' ychwanegodd gan edrych dros ysgwydd Gloria ar Gari, oedd yn sefyll yno'n fud.

'Aros, Mari.' Gari oedd yn siarad. 'Ma 'da ni rywbeth i'w ddweud wrthot ti,' meddai.

'Ie, ie! Dwi ddim yn dwp. Dwi'n credu 'mod i

wedi gweithio pethe mas, diolch yn fowr. Chi'n eitem! Hwrê! Llongyfarchiade. Da iawn! Nawr plîs, ga i fynd nawr?'

Trodd Mari a rhoi ei llaw ar fwlyn y drws.

'Mari! Dwi'n hoyw!'

Stopiodd Mari'n stond. Llais Gari. Wnaeth hi ddim hyd yn oed troi i edrych arno.

'Dwi'n hoyw, Mari, a ti'n gwbod beth? Dyna'r tro cyntaf i fi gyfadde hynny!'

Clapiodd Chris a dechreuodd Nigel neidio i fyny ac i lawr.

Trodd Mari i edrych arnyn nhw.

'Ti ddim 'y nheip i achos mai merch wyt ti, ti'n deall?'

Roedd y geiriau fel petaen nhw'n canu ym mhen Mari.

'Ac ro'n i wedi gofyn i Gloria beidio â dweud dim gair wrthot ti na neb arall nes i fi ddod mas yn iawn a bod yn hollol sicr am bethau. Nid dod i weld Gloria odw i, ond dod i weld Nigel a Chris.'

'Ti'n gweld, do'n i ddim yn cael gweud wrthot ti, Mari.' Gloria oedd yn siarad nawr. 'Wnes ti 'mrifo i hefyd, yn meddwl y gallen i fynd gyda rhywun roeddet ti'n ei lico. Wrth gwrs, fe ges i dipyn o siom am Graham, ond fyddwn i ddim am dy frifo di Mari, ti'n gwbod 'na!'

Dechreuodd Mari chwerthin. Edrychodd pawb ar ei gilydd yn ddryslyd. Ymunodd Nigel a Chris yn y chwerthin, nes eu bod nhw i gyd bron â rholio ar y llawr. Rhedodd Mari at Gloria a'i gwasgu'n dynn.

'Ti'n ffrind grêt, a dwi wedi gweld dy ise di'n ofnadw!'

'Ti'n grêt 'fyd, a fyddwn i fyth yn dy frifo di ar bwrpas! Dwi wedi bod mor ddiflas! Neb i 'nghal i i mewn i drwbwl a mynd i siope harddwch yng nghanol nos a phethe i gal ffêc-tans!'

'Dwi'n licio defnyddio ffêc-tan hefyd,' meddai Gari. 'Pa un yw dy ffefryn di?'

Edrychodd y ddwy arno fe'n syn.

'Ti'n gwbod beth, Glors? Fi'n credu bod gyda ni FfGN!'

'FfGN?' holodd Gari.

'Ffrind gorau newydd!' gwaeddodd y ddwy gyda'i gilydd.

Pennod 19

Dydd Sadwrn, ac roedd 'na barti mawr i ddathlu canlyniadau'r arholiadau. Roedd Gloria, Gari a Mari – y tri *musketeer* – wedi hwylio drwy'r arholiadau, felly roedd heno'n mynd i fod yn noson fawr. Roedd tad Mari wrth ei fodd hefyd wedi iddo gael neges gan Philip, drws nesa, oedd yn gweithio yn adran iechyd a glendid y Cyngor, i ddweud bod y Tsieinîs yn gorfod cau gan fod y lle'n rhemp gan lygod mawr! Roedd e mewn gymaint o hwyl dda nes iddo addo mynd â'r tri yn ei gar i'r parti yn y dref. Roedd Cara wedi bod yn gwneud mêc-yp y tri a phob un ohonyn nhw wedi cael ffêc-tan. Roedden nhw'n edrych yn wirioneddol ffantastig. Roedd Cara ei hun yn gwella bob dydd ac er ei bod hi'n sengl, roedd hi'n hapus am y tro cyntaf ers blynyddoedd. Roedd ei mam o gwmpas y lle drwy'r amser hefyd, ac er eu bod fel teulu'n mynd ar nerfau ei gilydd weithiau, roedden nhw o leiaf yno i fynd ar nerfau ei gilydd.

'Chi'n barod 'te?' gwaeddodd tad Mari o'r gegin. Roedd Cara'n mynd i dynnu lluniau ohonyn nhw cyn y noson fawr. Roedd Mam yn ffysan dros wisgoedd y tri ac yn tynnu top Mari i lawr damed bach o hyd yn lle i fyny fel pob mam normal. Roedd ei thad yn chwilio am ei got a Cara'n ceisio tynnu lluniau. Methai Rissole ddeall beth oedd yr holl ffys, a chyfarthai bob nawr ac yn y man gan wneud i Gari neidio.

Daeth cnoc ar y drws ac aeth Mari i'w agor. Edrychodd pawb yn syn. Townie oedd yno, yn wên i gyd, gyda thedi-bêr anferth yn ei freichiau. Rhewodd wyneb Cara.

'Wel y diawl . . .' dechreuodd ei thad, ond chafodd e ddim siawns i orffen. Roedd y blew ar gefn Rissole wedi codi i fyny i gyd fel petai e wedi cael sioc drydanol. Dangosai ei ddannedd, a dechreuodd gyfarth fel ci deg gwaith ei faint. Yna, heb rybudd, dyma fe'n rhuthro at Townie fel mellten. Wyddai neb ei fod yn medru symud mor gyflym.

'AGHGHGHGHGHGH!' meddai Townie gan hanner disgyn a hanner hedfan i lawr y grisiau a gollwng y tedi-bêr wrth fynd.

'Dal e, Rissole! *Go on boy*!' meddai tad Mari gan chwerthin.

Funud neu ddwy'n ddiweddarach, daeth Rissole i'r golwg unwaith eto yn cario darn o'r tedi-bêr carpiog a darn o ddefnydd trowser Tony.

'A PAID BYTH Â DOD 'NÔL!' gwaeddodd Cara nerth ei phen. Chwarddodd pawb a churo dwylo'n wyllt. Roedd Mari'n siŵr fod Rissole wedi wincio arni cyn gorwedd yn ôl i lawr a mynd i gysgu.

Cerddodd Mari, Gloria a Gari i lawr y stâr, drwy'r siop dships ac allan i'r stryd. Yno, yn aros o flaen y siop, roedd *limousine* gwyn anferth. Roedd Gloria'n neidio i fyny ac i lawr a Gari'n sgrechian mewn hapusrwydd.

'Wel, roeddech chi eisiau lifft, a chi wedi neud yn dda iawn! Dyma anrheg i chi wrth mam Mari a fi!'

'Oes lle i un arall?' daeth llais o'r tu ôl i Mari. Graham.

'Graham!' Edrychodd Gloria a Gari ar ei gilydd. Roedd e'n edrych yn hynod o smart heno.

'Oes . . .' mentrodd Mari, 'siŵr o fod!'

Roedd pethau wedi newid ers y tro diwethaf iddi ei weld, ac wedi'r cyfan roedd e wedi mynd i drafferth ofnadwy i ddod yn agos ati. Fe oedd yr unig fachgen y gallai hi siarad ag e mewn gwirionedd. Gwenodd arno â gwên lydan.

'Oes . . . yn bendant,' meddai Mari eto.

Rhoddodd Gari ergyd ogleisiol i Gloria yn ei hochr. Winciodd hithau'n ôl arno. Agorodd y *chauffeur* ddrws y cerbyd iddyn nhw a dyma pawb yn neidio i mewn. Roedd yna wydrau'n llawn diodydd yn barod ar eu cyfer.

'Wel . . . ' ebychodd Mari, 'i ni mae'r rhain?'

A chododd pawb eu gwydrau ar gyfer llwncdestun.

'I'r dyfodol!'

Ac wrth i Mari yfed, trodd yn ôl i weld ei mam a'i thad yn ffarwelio â nhw a'i chwaer yn gwenu'r wên hapusaf a welodd Mari erioed.